# 武林五賊

# 무림오적

무림오적 45

**초판 1쇄 발행 2022년 8월 25일**

지은이 | 백야
발행인 | 신현호
편집장 | 이호준
편집부 | 송영규 최종건 정재웅 양동훈 곽원호 조정범 강준석 최성화
편집디자인 | 한방울
영업 | 김민원

펴낸곳 | ㈜디앤씨미디어
등록 | 2002년 4월 25일 제20-260호
주소 | 서울시 구로구 디지털로 26길 111 JnK디지털타워 503호
전화 | 02-333-2513(대표)
팩시밀리 | 02-333-2514
E-mail | papy_dnc@dncmedia.co.kr
블로그 | blog.naver.com/gnpdl7

ISBN 978-89-267-1900-8 04810
ISBN 978-89-267-3458-2 (SET)

백야 신무협 장편소설

PAPYRUS ORIENTAL FANTASY

45

# 무림오적

PAPYRUS
파피루스

1장.

# 기억하기 위해서

일순 저귀의 표정이 달라졌다.
지금 담호는 이곳을 만든 저귀의 의도를 정확하게 이해하고 있었다.
살아남은 자가 죽어 간 이들을 기억하기 위해 만든 곳.
바로 그게 이 두 번째 지하 창고였으니까.

## 1. 현자(賢者)와 바보

건곤가를 출발한 오대가문의 연합 세력은 강만리 일행을 뒤쫓아 유주로 향했다.

유주는 광활한 황무지였다. 한 번 방향을 놓치고 길을 잃으면 사막처럼 헤매다가 쓰러지는 곳이 유주였다. 그래서 법을 어긴 자들이나 적을 피해 달아난 이들이 도망쳐 숨는 곳이 바로 유주였다.

먼저 유주에 도착한 북방흑제는 연합 세력에 행여나 제대로 길을 찾지 못할까, 유주로 들어서는 초입(初入), 관도(官道)가 끊어지고 흙탕길로 접어드는 바로 그곳에 흑승과 중합의 무리를 보내 그들을 맞이하게 했다.

폭우가 기승을 부리던 며칠 전이었다. 은자림의 살수들이 느닷없이 그곳에 출몰하여, 그렇게 연합 세력을 기다리던 흑승과 중합 무리의 뒤통수를 쳤다.

세상을 집어삼킬 것처럼 폭우가 쏟아졌다. 사방은 새까맣게 물들어 한 치 앞도 보이지 않았다. 힘들게 친 임시 막사는 세찬 비바람에 금방이라도 날아갈 듯 펄럭이고 있었다.

그런 상황에서 당대 최고의 살수들이 은밀하게 잠입하여 사람들의 등을 찌르고 목을 긋기 시작했던 것이다.

정면으로 부딪쳐 싸운다면 그렇게까지 완패하지는 않았으리라. 기습을 눈치채고 미리 준비했거나, 혹은 조금이나마 자신들의 등 뒤를 경계했더라면 또 그렇게까지 목숨을 잃지 않았을 것이다.

하지만 흑승과 중합의 무리는 감히 자신들을 암습할 자가 있을 거라고는 전혀 생각하지 않았고, 결국 그 방심과 폭우와 어둠은 그들이 전멸당하는 직접적인 원인이 되었다.

규환과 아비가 북방흑제의 지시를 받고 흑승, 중합과 합류하기 위해 달려왔을 때는 모든 상황이 종결되고 은자림의 살수들이 막 그곳을 떠나려던 순간이었다.

당황해하거나 놀라거나 분노할 새가 없었다. 규환과 아비는 수하들과 함께 곧장 은자림의 살수들을 향해 무기를 빼 들고 덤벼들었다.

사실 흑승과 중합의 무리를 몰살시키는 동안 은자림 살수들 역시 상당한 체력을 소모하고 크고 작은 상처를 입은 터였다.

게다가 정면으로 부딪치는 싸움은 흑승, 중합 때와 달리 은자림의 살수에게 매우 불리할 수밖에 없었다.

수적 우세에도 불구하고 은자림의 살수들은 느닷없이 출몰한 규환과 아비의 무리에 의해 속수무책으로 당했다. 만약 태백현인의 놀라운 신위가 아니었더라면, 은자림의 삼십육귀는 그곳에서 모두 황천(黃泉)에 올랐을 것이다.

태백현인은 더 이상 살수라 칭할 존재가 아니었다.

하기야 은자림의 십이현자들이 다 그러했다. 살수이되 이미 살수의 경지를 넘어선 초절정의 고수들. 그리고 태백현인도 그들 중 하나였다.

결국 규환과 아비는 태벽현인의 압도적인 무위를 견디지 못하고 후퇴해야 했다. 태백현인 또한 물러나는 그들에게 더는 공세를 취하지 않았다.

언제 놈들의 원군이 올지 모르는 상황인 데다가 무엇보다 은자림의 살수들에게 이런 전면전은 매우 취약할 수밖에 없었다. 복수는 암살만으로도 충분했다.

그렇게 태백현인은 살아남은 수하들을 이끌고 폭우 저편으로 몸을 감췄다. 규환과 아비는 이를 악문 채 그 어둠 속을 노려보다가 정신을 차리고 사태를 수습하기 시작했다.

한편 살막의 빈 진영을 기습하다가 뒤늦게 강만리의 계책을 알아차린 북방흑제는 다시 진영으로 돌아와 전열을 정비한 후, 곧바로 흑승과 중합에게로 달려갔다.

격렬하게 퍼붓는 폭우 속에서 그를 맞이한 건 온몸에 상처를 입은 규환과 아비였다.

이미 모든 상황이 끝나 있었다. 한곳으로 모아 둔 시신들이 흙탕물에 잠겨 있었고, 다른 한쪽에는 부상자들이 폭우 속에 방치되어 있었다.

북방흑제는 가슴이 터질 것 같은 분노를 억지로 집어삼키며 시신들을 살폈다. 삼십여 구의 시신 중 대부분이 그의 수하들이었다. 흑승과 중합의 시신도 그곳에 있었다.

두 눈을 부릅뜬 그들의 얼굴에는 도저히 믿어지지 않는다는 표정이 핏물처럼 얼룩져 있었다.

반면 은자림의 살수로 보이는 시신은 겨우 일고여덟에 불과했다. 놈들의 시신은 따로 치워지지 않은 채 폭우 쏟아지는 진흙탕 속에 아무렇게나 널브러져 있었다.

그야말로 완벽한 패배였다. 아무리 기습을 당했다고는 하지만 흑승과 중합까지 목숨을 잃다니, 두 눈으로 직접 확인하고도 믿기지 않았다.

"십이현자 중 한 명이 있었습니다."

"놈은 살수라고 할 수 없을 정도로 고강한 무위를 지녔습니다. 목숨을 걸고 분전했으나 놈이 도망치는 걸 막지 못했습니다. 죽여 주십시오."

규환과 아비의 보고를 들으며 북방흑제 현명군은 무릎을 천천히 일으켜 세웠다.

홍련과 청련이 증오에 가득한 목소리로 말했다.

"당장 놈들을 뒤쫓아 모조리 죽여야 합니다!"

"우리를 업신여긴 죄, 몰살로 갚아 줘야 합니다!"

여인들의 앙칼진 목소리가 거친 폭우를 뚫고 어둠 저편까지 퍼져 나갔다.

아직 사위는 어두웠다. 시간상으로는 어느덧 새벽임에도 불구하고 현실은 여전히 밤이었다.

"그건 안 된다."

북방흑제는 분노한 와중에도 이성의 끈을 놓치 않으며 말했다.

"이 폭우와 어둠 속에서 은자림의 살수들과 싸우는 건 어리석은 일이다."

전면전이라면 결코 피할 리 없었다. 아무리 십이현자 중 한 명이 있다 한들, 정면으로 부딪친다면 절대 패할 리가 없었다.

그러나 야전(夜戰), 특히 이렇게 사위가 칠흑처럼 어둡고 거센 폭우가 쉴 새 없이 쏟아지는 상황에서 상대하는 거라면 눈과 귀를 막고 싸우는 것과 다를 바가 없었다.

"게다가……."

북방흑제는 힐끗 수하들을 둘러보며 물었다.

"지금 가지고 온 전서응이 몇 마리 남았지?"

"두 마리뿐입니다."

수하의 대답에 북방흑제는 그럴 줄 알았다는 듯 고개를 끄덕이며 말했다.

"들었다시피 전서응도 겨우 두 마리밖에 남지 않았다. 은자림을 뒤쫓으면서 그것들을 나 사용한다면 연합군과 연락을 취할 방법이 사라진다."

전서구나 전서응은 귀소 본능과 주인에게로 돌아가는 습성을 이용하여, 아군 간 연락을 주고받게끔 만든 비둘기나 매를 가리켰다.

비둘기나 매의 발목에 쪽지를 매달아 날려 보내면 비둘기의 경우에는 원래의 집으로, 매의 경우에는 자신을 키워 준 주인에게로 돌아간다.

하지만 그건 어디까지 한쪽에서 한쪽으로만 연락이 가능한 것이지, 같은 전서구나 전서응으로 양쪽을 서로 오갈 수 있지는 않았다.

그래서 한 번 원정(遠征)을 나가게 되면 대략 열 마리에서 스무 마리가량의 전서구나 전서응과 함께 움직인다. 중간중간 그것들을 날려 보내 상황을 보고하고 원군이나 보급품을 요구하기 위해서 말이다.

북방흑제는 열 마리의 전서응을 가지고 왔으나 벌써 여덟 마리를 돌려보냈다.

두 마리라면 겨우 두 번의 연락밖에 할 수가 없었다. 이 드넓은 황무지에서 은자림에게 복수하고, 강만리 일행을 뒤쫓기에는 너무나 부족한 숫자였다.

"그러니 우선은 이곳에서 연합군을 기다리기로 한다. 부상자들도 치료해야 하지 않겠느냐? 저들을 봐라."

북방흑제의 말에 청련과 홍련은 그가 가리키는 방향으로 고개를 돌렸다.

굵은 장대비가 폭포수처럼 쏟아지는 황무지 한쪽에, 제대로 된 치료 한 번 받지 못한 채 신음을 흘리고 있는 십여 명의 부상자들이 있었다.

여인들은 이를 악물었다. 소속은 다르지만 그들 또한 자신들의 수하였다. 그 비참한 몰골을 보고 어찌 무심한 표정을 지을 수 있겠는가.

"임시 막사를 준비하고 저들이 비를 피하도록 한다."

북방흑제가 수하들을 돌아보며 지시를 내렸다.

"연합군이 당도할 때까지 체력을 보존하고 치료에 전념한다. 그동안 다들 최대한 힘을 아끼고 모아 두도록. 죽은 동료들에 대한 복수는 반드시 하게 해 줄 테니까."

홍련이 한마디 하려고 했으나 북방흑제의 메마를 정도로 딱딱하게 굳어진 얼굴을 보고는 입을 다물었다. 지금 그가 얼마나 분노하고 있는지 홍련도 알 수 있었던 것이다.

수하들이 빠르게 움직이며 임시 막사를 세우기 시작했다. 그동안 북방흑제는 다시 은자림의 시신들을 내려다보면서 혼잣말처럼 중얼거렸다.

"그 현자라는 놈은 바보였을까?"

왜 강만리의 흉계를 눈치채지 못한 것이지?

물론 은자림에도 북방흑제의 무리로 변장한 누군가가 기습을 했을 테고, 그 와중에 몇몇을 살해하고 흔적을 남겼을 것이다.

하지만 북방흑제도 알아차린 차도살인의 흉계를, 명색이 현자(賢者)라는 별명을 지니고 있는 자가 눈치를 채지 못하다니.

"어쩌면 현자라는 건 곧 바보와 일맥상통하는 단어인지도 모르겠구나."

북방흑제는 그렇게 중얼거리며 어둠에 잠식된 하늘을 올려다보았다. 폭우가 쏟아지는 가운데 어둠이 가실 기미는 전혀 보이지 않는 새벽이었다.

## 2. 지하 창고

길고 길었던 밤이 지나고 이른 아침이 되었다.

출산의 여파로 새벽까지 잠 못 든 채 부지런히 움직이던 화평장의 여인들이 뒤늦게 곤한 잠에 빠져 있을 때, 객잔의 주인 저귀가 길게 하품을 하며 객잔 문을 열었다.

유랑객잔의 문을 마지막에 닫는 것도, 맨 처음으로 여는 것도 언제나 그의 몫이었고 이날도 그럴 참이었다.

하지만 저귀가 문을 열고 광활한 황무지를 내려다보면서 늘어지게 기지개를 하려 할 때, 문득 그의 시야에 땀을 뻘뻘 흘리면서 무공을 연마하고 있는 담호의 모습이 들어왔다.

이 유랑객잔에서 저귀 보다 일찍 일어난 자가 있었던 것이다.

'호오.'

저귀는 눈을 가늘게 뜨고서 담호의 동작을 지켜보았다. 지르고 거둠이 부드러우면서도 명확했고, 자세는 안정되어 있어서 절대 무너지지 않을 것 같았다.

과연 저 나이 또래에 저만한 경지에 오른 이가 몇이나 될까, 하는 생각이 언뜻 저귀의 뇌리를 스치고 지나갔다.

갓 떠오른 해가 황무지를 붉게 만드는 시각, 비로소 담호는 움직임을 멈추고 호흡을 가다듬었다.

그는 아직도 불만족스럽다는 듯이 허공을 향해 몇 차례 손을 휘두르다가, 객잔 문 입구에 서 있던 저귀를 뒤늦게 발견하고는 꾸벅 허리를 숙였다.

"일어나셨어요?"

"잘 잤느냐?"

"네. 잠자리가 편안했습니다."

"다행이다. 뭐, 간단하게 먹을 거라도 해 주랴?"

무뚝뚝한 저귀의 말에 담호는 가볍게 망설이다가 씨익 웃으며 말했다.

"고맙습니다. 안 그래도 배가 조금 고팠거든요."

"그래? 그럼 씻고 와서 기다리렴."

저귀가 다시 안으로 들어갔다.

간단하게 몸을 씻은 담호가 옷을 갈아입고 대청으로 내려왔다. 대청에는 방금 깨어났는지 창가 자리에 앉아서 눈곱을 떼며 멍하니 밝아 오는 황무지를 바라보는 초목아가 있었다.

담호는 소리 나지 않은 발걸음으로 다가가 맞은편 자리에 앉았다. 초목아가 깜짝 놀라며 그를 돌아보았다.

"사람 간 떨어지게. 기척이라도 좀 내."

담호가 웃으며 말했다.

"일찍 일어났네, 누나?"

"응, 무공 수련 좀 해 볼까 하고 일어났는데…… 아휴, 귀찮아 죽겠어. 그런데 너는? 벌써 씻은 거야?"

"응."

담호는 겨우 한 시진 눈 붙이고 일어나서 지금껏 무공 수련을 했다는 걸 밝히지 않은 채 말을 돌렸다.

"아기들, 봤어?"

"아니, 아직. 너는?"

"나도 아직. 갑자기 쌍둥이가 태어나는 바람에 다들 정신없이 바빴잖아?"

"그러니까 말이야. 그런데 쌍둥이라면 누가 누구인지 전혀 알아보지 못할 정도로 똑같이 생겼을까? 나는 지금껏 쌍둥이를 본 적이 없거든."

"나도……."

담호는 자신도 쌍둥이를 본 적이 없다고 말하려다가 입을 다물었다. 과거 부친과 함께 강호를 떠돌아다닐 때, 우연히 마주쳤던 무림인 중 쌍둥이가 있었던 기억이 났던 까닭이었다.

지금 돌이켜보면 쌍둥이라고 해서 생각보다 그리 닮지 않았던 것 같았다.

초목아는 가늘고 긴 눈썹을 깜빡이며 담호를 쳐다보다가 저도 모르게 길게 한숨을 내쉬었다.

"하아."

담호는 퍼뜩 상념에서 깨어나 물었다.

"왜?"

"아냐, 아무것도."

괜히 심란해진 마음 때문이었을까. 그녀의 목소리가 불퉁해질 때였다.

저귀가 주방에서 두 사람 몫의 음식을 가지고 나와 탁자 위에 내려놓았다. 제 몫의 국과 만두를 본 초목아의 눈이 휘둥그레졌다.

"제가 내려온 걸 아셨어요?"

저귀가 가볍게 눈살을 찌푸렸다.

"내 귀가 막혔다고 생각하냐?"

"아뇨. 그래도 나름대로 소리 없이 내려왔다고 생각했는데."

"아주 쿵쿵거리더구나, 발걸음 소리가."

저귀는 힐끗 담호를 바라보며 말을 이었다.

"이 녀석 정도는 되어야 그래도 소리 없이 내려왔다고 하는 게다."

"그럼 담호 발걸음 소리도 들었어요, 주방에서?"

"흥. 아직 그것도 듣지 못할 정도로 늙지는 않았구나."

가볍게 코웃음을 친 저귀는 "식기 전에 어여들 먹어라."라고 말하다가 문득 무슨 생각이 들었는지 그 조그만 눈을 반짝이며 재차 입을 열었다.

"아, 마침 잘됐다. 이렇게 단둘이 있을 때 일전에 주겠다는 선물을 줘야겠지."

"아휴, 괜찮습니다."

이건 담호의 말이었다.

"와아, 고마워요."

이건 초목아의 말이었다.

"어른이 준다고 할 때는 고마워하면서 받는 게 예의다. 초목아처럼 말이지."

초목아가 어깨를 으쓱거리며 담호를 향해 붉고 탐스러운 혀를 내밀었다.

저귀가 말했다.

"다른 사람들이 일어나면 귀찮으니 빨리들 먹고 내려가 보자."

그의 말에 담호와 초목아의 눈이 휘둥그레졌다.

"내려가요? 어딜요?"

"다 먹으면 알게 될 게다."

저귀는 손사래를 치며 초목아의 질문을 막은 후 계산대로 돌아가 앉았다.

초목아와 담호는 동그랗게 뜬 눈으로 서로의 얼굴을 보고는 누가 먼저라고 할 것 없이 서둘러 식사를 끝마쳤다.

"그럼 이리로들 오렴."

저귀는 계산대에서 일어나 주방으로 향하는 복도를 따라 어슬렁거리며 걸었다. 담호와 초목아도 황급히 그 뒤를 따랐다.

복도 양쪽으로는 주방과 식자재를 두는 창고가 있었다.

저귀는 창고를 지나쳐 후문 가까이에서 걸음을 멈추고는 복도 바닥 한쪽을 덮고 있던 나무 판자를 들어 올렸다. 그러자 그 아래로 지하로 이어지는 계단이 나왔다.

저귀는 아무 말 없이 계단을 따라 지하로 들어갔다. 담호와 초목아는 서로 얼굴을 한 번 돌아보고는 그 뒤를 따라 지하로 들어섰다.

저귀가 벽에 걸린 횃불에 불을 밝혔다. 일렁이는 불빛 아래로 네 평 정도의 넓은 지하 창고가 그 모습을 드러냈다.

창고에는 술통들이 줄지어 늘어서 있었다. 보아하니 술을 저장하는 지하 창고인 듯했다.

담호는 일순 고개를 갸웃거리며 생각했다.

'설마 술을 주시려고…….'

담호가 그런 엉뚱한 생각을 할 때 마침 저귀가 입을 열었다.

"뭘 선물로 줘야 하나 고민하다가 생각을 바꿨지. 내가 골라 주는 것보다는 너희들이 직접 고르게 하는 게 나을 거라고 말이다."

저귀는 창고 안쪽으로 걸어가면서 말을 이었다.

"뭐, 대단한 물건들은 아니지만 그래도 예서 한번 골라들 보라고."

그는 손을 들어 창고 안쪽의 벽을 쓰다듬듯 매만졌다. 그리고는 가볍게 옆으로 잡아당기자, 벽이 마치 미닫이

문처럼 스르륵 옆으로 열렸다.

"와아!"

초목아는 처음 보는 그 신묘한 기관장치에 놀라 감탄을 터뜨렸다.

저귀가 한쪽으로 비켜나며 손을 내밀었다.

"어여들 들어가."

담호와 초목아는 망설이는 걸음으로 열린 벽 안쪽의 공간을 향해 걸음을 옮겼다.

저귀가 다시 횃대에 불을 밝혔다. 술통 저장 창고보다 세 배는 넓어 보이는 공간이었다. 그 넓은 공간 가득 온갖 물건들이 빼곡하게, 그리고 정갈하게 진열되어 있었다.

검과 칼, 도끼와 활 같은 무기들이 한쪽 진열대 가득 놓여 있었고, 다른 한쪽에는 온갖 책들이 서가(書架)를 가득 메우고 있었다.

또 다른 진열대에는 정체를 알 수 없는 약병들이, 그리고 다른 한 곳에는 온갖 금은보화들이 가득 채워져 있었다.

"와아!"

"대단하네요."

횃불이 밝혀지면서 그 공간의 진면목을 확인한 담호와 초목아가 동시에 탄성을 올렸다.

"벌써 삼십 년이 넘었지, 이곳 객잔이 지어진 지가."

저귀가 머쓱한 표정을 지으며 말했다.

"그동안 술값 대신 잡아 놓은 물건들이나 낭인과 도망자들의 유품을 버리지 않고 모으다 보니 이렇게나 많아지더구나. 따로 어디 보관할 데도 마땅치 않고, 그렇다고 해서 버리기도 뭐하고 해서 이렇게 술 저장고를 개조하여 공간을 만들었단다."

저귀가 이 공간을 만들고 나서 타인에게 보여 주는 건 이번이 처음이었다.

그래서였을까. 저귀는 그 어느 때보다 쑥스럽고 부끄러운 표정을 짓고 있었다.

"또 모아 놓고 진열하다 보니 별것 아닌 물건들이지만 그래도 제법 애착도 가고 마음에 들더구나. 그래서 내 선조들의 유품과 지인들의 물건들까지 모두 가져다 두었지. 그러니 잘 고른다면 그래도 나름대로 괜찮은 물건을 얻을 수 있게 될 게다."

저귀의 말이 끝나기도 전에, 손을 모으고 두 눈을 반짝이며 이리저리 둘러보던 초목아가 흥분을 참지 못하고 말했다.

"정말 대단해요! 이건 마치 황궁보고를 조그맣게 축소해 놓은 것만 같아요. 혼자서 이런 공간을 만들다니, 와아! 진짜 믿을 수가 없어요."

저귀의 눈썹이 꿈틀거렸다.

"음? 황궁보고? 설마 황궁보고를 본 적이 있느냐?"

"네. 이번에 강 아저씨께서 황궁의 사건 하나를 해결하셨거든요. 그 보답으로 우리 모두가 황궁보고에 들어가는 혜택을 얻을 수 있었어요."

초목아는 여전히 별빛처럼 눈을 반짝이며 말했다.

"정말 그 황궁보고에 다시 들어선 듯한 기분이에요."

"허험, 아니지."

저귀가 황급히 말했다.

"황궁보고에 가 봤다면 굳이 이런 보잘것없는 창고를 둘러볼 필요는 없을 것 같구나. 얼른 나오거라."

저귀가 부끄러운 기색을 애써 감추며 말하자, 초목아는 고개를 저었다.

"아뇨. 꼭 구경하고 싶어요. 선물이 아니더라도 말이에요. 이곳은 저귀 아저씨께서 지금껏 살아온 발자취가 담긴 곳이잖아요? 그리고 유명촌 사람들의 흔적이 남아 있는 곳이기도 하고요. 과연 어떤 삶을 사셨는지, 어떤 것들을 남기셨는지 꼭 보고 싶어요."

"허험. 그래 봤자 도망자, 범법자들의 흔적이고 또 변방 촌구석의 객잔 주인의 발자취일 뿐이다. 황궁보고의 그 대단한 물건들을 본 너희들의 성에 찰 만한……."

"아뇨. 저는 이곳에 있는 물건들이 더 대단하다고 생각합니다."

잠자코 있던 담호가 불쑥 입을 열었다.

"이곳에는 아저씨의 진심과 노력이 담겨 있으니까요. 황궁보고라는 게 애당초 부자가 자신의 부(富)를 과시하기 위해서 만든 느낌이라면, 이곳은 살아남은 사람이 죽어 간 이들을 기억하기 위해 만든 곳 같으니까요."

일순 저귀의 표정이 달라졌다.

지금 담호는 이곳을 만든 저귀의 의도를 정확하게 이해하고 있었다.

살아남은 자가 죽어 간 이들을 기억하기 위해 만든 곳.

바로 그게 이 두 번째 지하 창고였으니까.

### 3. 이어지는 인연(因緣)

유주를 떠도는 자들은 대부분 범법자요 도망자였다.

그들은 이름을 숨기고 신분을 감춘 채 유주 곳곳을 떠돌았다. 우연히 유명촌에 정착한 이들도, 혹은 이곳을 지나치다가 유랑객잔에 들려 술 한 잔, 식사 한 끼, 하룻밤을 묵어가는 이들 모두 저마다의 사연을 간직하고 있는 자들이었다.

어린 시절 유명촌으로 흘러 들어와 유랑객잔을 세운 저귀는 그 도망자, 범법자, 낭인들에게 술과 음식과 잠자리를 팔면서 청년이 되고 장년이 되었다.

그동안 저귀는 얼마나 많은 이들의 삶을 지켜보고, 또 죽음을 지켜보았을까.

그 많은 이들 중에는 호기심이 생겨서 혹은 인연이 닿아서 혹은 호감을 느껴서 그렇게 저귀의 지인(知人)이 되고, 벗이 된 자들도 없지 않았다.

그런 자들의 죽음은 과연 또 어떻게 받아들였을까.

저귀는 묵묵히 시신을 수습하고 유품을 정리할 따름이었다. 그저 끝까지 살아남아서 죽은 자들, 죽어 가는 자들, 죽어 갈 자들을 지켜보고 그들이 남긴 흔적과 발자취를 기억할 따름이었다.

그랬다. 그가 이 황량한 유주 땅, 인적 드문 유명촌, 손님 없는 유랑객잔을 벗어나지 못하는 이유가 바로 거기에 있었다.

그리고 어쩌면 그가 살아가는 이유는 지난 모든 이들을 잊지 않고 기억하기 위함일지도 몰랐다.

"흐흠."

저귀는 헛기침을 하며 입을 열었다.

"그렇게까지 말한다면야 뭐, 한번 뒤져 보아라. 마음에 드는 게 있으면 챙기고. 아, 챙기는 김에 쌍둥이들 선물까지 찾아봐라. 갓 태어난 아기들에게 뭘 줘야 좋을지는 노총각인 나보다 아직 어린 너희들이 더 잘 알 테니까 말이다."

저귀는 그렇게 말한 후 지하 창고를 떠났다.

담호와 초목아는 서로를 돌아보았다. 가슴이 두근거리고 심장이 빠르게 뛰었다. 마치 황궁보고에 발을 디뎌 놓을 때와 똑같은 심정이었다.

"그럼 뭘 고를까나?"

초목아는 서둘러 발길을 옮기며 콧노래처럼 혼잣말을 흥얼거렸다.

"무기는 필요 없으니 비급이나 영약이 좋을까? 아니면 금은보화가 좋을까?"

담호는 빙긋 웃고는 초목아와 반대쪽으로 걸음을 옮기며 천천히 주위를 둘러보았다.

그의 시야에 맨 처음 들어온 건 온갖 서적들로 가득 채워져 있는 서가였다. 언뜻 봐도 천여 권은 됨직했다. 물론 황궁의 무고에 있는 비급의 수와는 비교가 되지 않았다. 거기에 비급의 질(質)은 비교조차 할 수가 없었다.

하지만 담호는 진지한 얼굴로 그 서적들을 하나씩 살펴보았다. 그 책들은 평범한 책이 아니었다. 낭인들이, 도망자들이, 범법자들이 죽으면서까지 품에 끌어안고 있었던 그들의 인생과 삶이었으니까.

이름난 고수나 명문가의 인물들은 원치 않더라도 많은 이들이 제자가 되기를 희망했다. 그중에서 가장 자질이 뛰어나고 심성 바른 자를 선별하여 자신의 무공을 전수하면, 그것으로 대(代)는 끊이지 않고 이어져 나간다.

하지만 평범한 무인들은 전혀 그렇지 못했다. 특별히 내세울 이름이나 무공이 없는데 누가 알아서 찾아와 자신의 제자가 되려 하겠는가.

자식도 없었다. 제자도 없었다. 이대로 죽으면 자신이 살았다는 흔적조차 남지 않을 것이다.

그렇다고 해서 평생 익힌 검법과 권법을 사장(死藏)하는 건, 마치 자신이 살아온 인생을 부정당하는 것처럼 생각할 수밖에 없었다.

그래서였다. 굳이 자신이 익혔던 무공을 비급으로 만들어 누구든 인연이 닿는 자가 있기를 기도하며 품에 안고 다니는 것은.

서가를 천천히 구경하던 담호는 그 이름 모를 강호인들의 애끊는, 필사적인 마음을 알 것만 같았다. 생각 같아서는 그 모든 비급을 모두 수련하여 그들의 대가 끊어지지 않도록 하고 싶었다.

물론 그럴 수 없다는 건 누구보다도 담호가 제일 잘 알고 있었다.

'그렇다면…….'

단 한 명이라도, 이곳에 남아 있는 누군가의 흔적을 이어받자는 게 그의 결론이었다.

담호는 창고의 다른 곳, 무기나 약병이나 금은보화를

모아 둔 곳에는 시선조차 주지 않았다. 오로지 서가 앞에서 숱한 유주 사람들이 남긴 흔적들을 살필 뿐이었다.

"아휴, 생각보다 별로다."

그의 등 뒤에서 초목아의 목소리가 들려왔다.

"그래도 나름대로 기대는 했는데, 무기든 뭐든 다 삼류급이야. 역시 낭인이나 도망자들의 유품이라 그런지 좋은 게 보이지 않아."

초목아는 한순을 쉬다가 문득 담호의 어깨 너머로 기웃거리며 물었다.

"뭘 봐?"

담호는 들고 있던 비급에서 시선을 떼지 않은 채 말했다.

"비급."

"비급? 에이."

초목아가 웃었다.

"관둬. 삼류 무사들이 남긴 비급이잖아. 초절정 고수들을 사부로 둔 네가 볼 만한 게 절대 아니라고. 차라리 금원보(金元寶)는 어때? 돈은 삼류, 일류를 가리지 않으니까."

"아냐, 나는 괜찮아."

담호는 비급을 꽂고 새로운 책을 빼 들며 말했다.

"이럴 시간 있으면 쌍둥이에게 선물할 것 골라 봐, 누나."

"쳇. 왜 그걸 내게 시키는데?"

"그래도 예쁜 걸 고를 줄 아는 안목이 있잖아, 누나에게는."

"응, 그건 그렇지. 역시 넌 사람 볼 줄 아네. 좋아, 그럼 쌍둥이를 위해서 한번 힘써 볼까?"

초목아는 다시 활달한 모습으로 창고를 둘러보기 시작했다. 겨우 그녀를 떼어 놓은 담호는 다시 책들 하나하나를 꼼꼼히 살펴보기 시작했다.

사람의 성격이 모두 다르듯 비급의 모양새나 혹은 비급에 적힌 글귀도 모두 각양각색이었다.

손바닥만 한 책자가 있느냐 하면, 얼굴보다 큰 책자도 있었다. 제목조차 적지 않은 비급이 있기도 했고 유서(遺書)처럼 긴 서장을 남긴 비급도 있었다. 어떤 책자에는 누군가의 일대기(一代記)가 쓰여 있기도 했다.

담호는 시간 가는 줄도 모르고 비급을 하나하나씩 살폈다. 책자를 읽다가 미소를 지을 때도 있었고, 문득 가슴 아린 표정을 지을 때도 있었다.

그러던 어느 순간이었다. 서가의 구석진 곳에 아무렇게나 꽂혀 있는 책자를 꺼내 펼친 담호는 심장이 멎는 것과 같은 충격에 하마터면 책자를 떨어뜨릴 뻔했다.

믿을 수 없게도 그 책자의 주인은 유명조 혁자룡이었다.

"혁 아저씨의 비급이 왜 여기에……."

담호는 손까지 벌벌 떨면서 중얼거렸다.

혁자룡은 이곳에서 백여 리 이상 떨어진 구룡포(九龍浦)에서 표행(鏢行)을 털다가 지금은 그 명맥이 끊긴 천궁팔부(天宮八府)의 절정검(切情劍) 조흔(曺欣)이라는 고수에게 목숨을 잃었다.

그 싸움에서 대부분이 죽었고, 혁자룡을 포함한 죽은 자들의 시신이나 유품을 챙긴 이는 아무도 없었다.

담우천과 담호도 마찬가지였다. 당시 그들에게 있어서 혁자룡은 그저 스쳐 지나가는 인연에 불과했으니까.

그렇게 버려졌던 혁자룡의 유품이, 그의 비급이, 놀랍게도 지금 이 지하 창고 서가에 있었다. 그렇다면 담우천과 담호들이 그 자리를 떠난 후, 저귀가 먼 그곳까지 가서 혁자룡의 마지막을 챙겼다는 것일까.

아니면 또 다른 누군가가 그 유품을 가지고 유랑객잔으로 돌아와 저귀에게 건네준 것일까.

눈을 감은 채 과거의 일을 회상하던 담호는 잠시 호흡을 가다듬은 후 천천히 비급을 펼쳤다. 비급의 첫 장에는 이런 내용의 글이 적혀 있었다.

내 나이 마흔이 넘었다. 열다섯 나이에 처음 칼을 쥐었으니 강호에서 뒹군 지 벌써 스물다섯 해가 흘렀다.

처음 칼을 잡았을 때 나는 무림 제일 고수가 되기를 꿈꿨지. 십 년이 흘렀을 때는 조그만 문파의 주인이 되고자 했지. 다시 십 년이 흘렀을 때는 은자 백만 냥을 모아 은퇴하고자 했다.

그리고 지금에 이르러서는…… 어떻게든 끝까지 살아남는 게 목표가 되었다.

중략(中略)…….

그런 무명(武名) 없는 자가 남기는 보잘것없는 도법(刀法)이기는 하나, 지난 이십오 년간 끊임없이 수련하고 익히고 깨우친 바를 글로 남긴다.

모쪼록 연자(緣者)에게 내 꿈과 희망과 의지가 전해지기를…….

산동(山東)의 혁자룡(赫紫龍)이 쓰다.

"혁 아저씨……."

담호의 눈가에 눈물이 그렁그렁 맺혔다.

혁자룡과는 짧은 인연이었지만 또 한없이 굵은 인연이었다. 유주의 낭인 혁자룡이 갓 무공에 입문했던 담호에게 내린 한 수의 가르침. 그 인연이라는 게 또 이렇게 이어지는가 싶었다.

"알겠습니다, 혁 아저씨."

담호는 눈물을 닦으며 중얼거렸다.

"제가 아저씨의 꿈과 희망과 의지를 전해 받을게요."

담호는 그렇게 말하면서 다음 책장을 펼친 후, 천천히 그 책에 적힌 도법을 정독하기 시작했다.

아아.

이 정도였었구나, 혁 아저씨는.

눈물이 다시 흘렀다.

당시 오륙 년 전만 하더라도 까마득하게 높아 보였던 혁자룡의 무위는 이제 담호의 발끝에도 미치지 못하고 있었다.

비급의 도법은 삼류를 벗어나 이류로 갓 올라선 무인의 칼질과 다를 바가 없었다. 이미 일류급 이상의 수준에 오른 담호가 익히기에는 한없이 부족하고 모자란 무공이었다.

하지만 담호는 후회하거나 망설이지 않았다. 그는 이른바 자룡도법(紫龍刀法)이란 일곱 개의 초식으로 이뤄진 도법을 꼼꼼히 읽고 외웠다.

사실 지금의 담호에게 있어서는 그저 단순한 초식들이라 그리 시간이 오래 걸리지도 않았다. 외려 불필요한 동작이라든가, 혹은 꼭 필요하지만 빠진 동작들이 거슬리는 까닭에 제대로 외우기 힘들 정도였다.

"제가 이 자룡도법을 더 완벽하게 만들어 볼게요."

담호는 책자를 덮고 서가에 꽂아 넣으며, 마치 혁자룡이 옆에 있는 것처럼 속삭이듯 말했다.

"그래서 혁 아저씨의 무명이 천하에 널리 퍼질 수 있도록 해 볼게요. 자룡도(紫龍刀)라고 하면 누구든 혁 아저씨의 이름을 떠올리도록 말이에요."

담호가 그렇게 중얼거릴 때였다.

"뭐 해? 아직 거기에 서서?"

등 뒤로 초목아가 다가오며 묻자, 담호는 얼른 눈물을 훔치며 짐짓 쾌활한 목소리로 대답했다.

"아, 원하던 걸 찾았거든."

"그래? 뭔데?"

"누나는 몰라도 돼."

"뭐야? 그렇게 비싸게 굴 거야? 진짜 좋은 걸 얻었나 보네. 나도 좀 보여 주라. 너만 강해질 건 없잖아?"

초목아는 담호가 모래사장에서 보석을 찾은 줄로만 알고 계속해서 쫑알댔다.

하지만 담호는 그녀에게 혁자룡의 책자를 보여 줄 생각은 전혀 없었다. 어디까지나 그건 담호와 혁자룡만의 이야기였고 인연이었으니까.

"별거 아니라니까, 진짜. 그나저나 누나는 뭘 골랐는데?"

"치잇. 그렇게 나온다 이거지. 흥! 두고 봐, 어디."

초목아는 샐돌아져서 입을 삐죽이며 말했다.

"네가 가르쳐 주지 않는데 내가 가르쳐 줄 이유가 어디 있니? 나도 안 가르쳐 줄래."

"그래? 그래도 고르기는 골랐구나. 다행이네. 참, 쌍둥이 선물은?"

"싫어. 그것도 가르쳐 주지 않을래. 나중에 쌍둥이들에게 부탁해."

초목아는 도톰한 입술을 내밀고 "흥!" 하고 코웃음을 치고는 몸을 돌려 창고를 빠져나갔다.

담호는 그녀의 뒷모습을 바라보다가 저도 모르게 길게 한숨을 내쉬었다. 겨우 그 정도로 삐친 초목아를 도저히 이해할 수가 없었던 것이다.

"뭐, 어쩔 수 없지."

담호는 다시 혁자룡의 책자를 바라보며 입을 열었다.

"그럼 가 볼게요, 혁 아저씨."

그는 혁자룡의 책자를 향해 마치 위패(位牌)를 대하듯 경건하고 공손하게 허리를 숙였다. 그러고는 초목아를 뒤따라 서둘러 창고를 빠져나갔다.

2장.

# 잔치는 시작되었고

"세상은 평등하지 않단다.
부자의 자식은 날 때부터 부자인 게고,
가난한 집의 자식은 날 때부터 가난한 게지.
무림인들도 마찬가지란다.
애당초 태어날 때부터 서로의 간극이 벌어져 있는 게야."

## 1. 그날 아침

유명촌은 잔치 분위기였다.

사실 이곳에서 아기가 태어난 건 아마도 유명촌이 생긴 이후 처음 있는 일인 듯했다. 당연히 돼지도 잡고, 소도 잡아야 한다고 태산내내가 강력하게 주장했다.

물론 강만리는 난색을 취했다.

북방흑제를 비롯한 적들이 강만리들을 뒤쫓아 유주 일대를 샅샅이 뒤지고 있었다. 그런 상황에서 마을 전체가 들썩거릴 정도로 큰 잔치를 벌인다면 아무래도 놈들의 이목을 끌 수밖에 없었다.

"태산내내의 축복을 받고 싶지 않은 모양이로구나."

태산내내는 으름장을 놓았다. 잔치를 벌이고 신에게 예물을 바쳐야만 쌍둥이가 무사하고 건강하게 자랄 수가 있다는 논리였다.

"그렇게 해요. 어차피 지금 당장 움직일 수도 없는 상황이니까요."

예예를 비롯한 여인들이 강만리를 설득했다.

아무리 건강하고 튼튼한 무림의 여인이라고 하더라도 갓 출산한 몸을 이끌고 저 민 북해까지 강행군을 하는 건 확실히 무리였다.

무엇보다 이제 겨우 눈을 뜬 쌍둥이들이 그 북풍한설(北風寒雪) 휘몰아치는 북해의 차가운 날씨를 견딜 수 있을까 하는 걱정이 컸다.

결국 강만리는 한숨을 쉬며 고개를 끄덕였다.

"사흘. 딱 사흘간만 머물다 갑시다. 그동안 소도 잡고, 돼지도 잡고, 술도 마시고 마음대로 하시구려."

태산내내가 손을 내밀었다.

"그럼 잔치를 준비할 비용을 내놔야지."

강만리는 엉덩이를 긁적이던 손으로 품에서 전표 한 장을 꺼내 건넸다. 태산내내가 헤헤 웃으며 전표를 받아 챙겼다.

유명촌의 부산스러운 아침은 그렇게 시작되었다.

잔치를 벌인다는 냄새를 맡은 것일까.

어제 강만리 일행이 유명촌에 들어섰을 때 단 한 명도 밖으로 나와 보지 않았던 유명촌 사람들이 슬금슬금 걸어 나왔다.

태산내내는 유명촌 사람들에게 소 한 마리와 돼지 두 마리, 그리고 열 마리의 오리를 잡으라며 은자를 뿌렸다. 이내 유명촌의 분위기가 달라졌다. 잔치가 시작된 것이다.

유랑객잔 대청에는 장예추가 화평장 사람들로부터 축하 인사를 받고 있었다. 화평장 무사들은 일렬로 줄을 서서 대청 한가운데 앉은 장예추에게 다가가 덕담과 축하의 말, 그리고 술 한 대접을 나눴다.

한 대접이라고 해도 오십 명이면 오십 대접, 육십 명이면 육십 대접이었다. 한 자 정도 되는 술 항아리에서 대충 대여섯 대접의 술이 나오니, 축하 인사를 받는 동안 못해도 열 동이의 술을 마시는 셈이었다.

하지만 장예추는 한 점 흔들림 없이 꼿꼿하게 앉아서 미소를 지은 채 축하 인사를 건네받았다.

화평장 사람들의 선물도 차곡차곡 쌓였다. 상황이 상황이고 장소가 장소인지라 선물이라고 해 봤자 특별할 건 없었다. 북해빙궁의 여인들은 꽃이나 장신구를 선물했고, 무사들은 비수나 은자를 장예추에게 건넸다.

아침 일찍 저귀의 지하 창고에서 나왔던 초목아와 담호도 그 대열에 합류해 있다가 장예추에게 축하 인사를 건넸다.

"축하드립니다, 장 숙부."

"축하드려요, 장 아저씨."

"고맙다, 너희들까지. 음? 이건 뭐냐?"

장예추는 초목아가 수줍게 내민 팔찌 한 쌍을 보며 눈을 동그랗게 떴다.

초목아가 배시시 웃으며 말했다.

"저귀 아저씨가 축하한다고 드리는 선물이에요."

"그래?"

장예추는 주방 쪽으로 고개를 돌렸다. 아쉽게도 저귀는 아침 일찍부터 이런저런 음식 준비를 하느라 지금까지 주방 밖으로 나오지 못하고 있었다.

"고맙다고…… 아니, 내가 따로 인사하마. 고맙다."

장예추는 팔찌 한 쌍을 소중하게 품에 넣었다.

담호가 머뭇거리며 말했다.

"죄송합니다. 따로 준비한 게……."

"됐다. 그저 마음만으로도 충분히 고맙다."

장예추는 다정하게 말했다. 담호와 초목아는 꾸벅 절을 한 다음 줄을 빠져나왔다.

담호는 다시 밖으로 나가려다가 문득 시선을 돌렸다.

장예추의 뒤쪽, 계산대 앞쪽 구석진 자리에는 강만리와 설벽린, 담우천과 화군악이 앉아서 수군수군 대화를 나누고 있던 참이었다.

"사흘이라니, 그동안 세 무리 중 누군가 반드시 우리를 찾아낼 거야."

강만리가 한숨을 쉬었다. 아직도 자신의 결정이 후회되는 모양이었다.

"너무 걱정하지 마세요. 이미 엎질러진 물이니까요."

화군악은 그다운 표현으로 강만리를 위로했다. 강만리가 눈을 흘기자 화군악은 어깨를 으쓱거리며 말을 이었다.

"누구든 우리를 찝쩍거린다면 절대 가만 놔두지 않을 겁니다. 그러니 사흘 동안 푹 쉬면서 잔치나 즐기자고요."

설벽린이 고개를 끄덕이며 동의했다.

"쌍둥이들도, 제수씨도 조금은 체력을 회복할 시간을 줘야 하니까요."

담우천도 말했다.

"무엇보다 쌍둥이들이 북해를 건널 체력까지는 있어야 하겠지."

"휴우, 그래서 사흘이라고 하기는 했습니다만, 아무래도 불안한 건 어쩔 수가 없네요."

강만리는 재차 한숨을 쉬며 말했다.

"사실 북방흑제 쪽은 그리 겁나지 않습니다. 하지만 그들에게는 이곳으로 달려오고 있을 오대가문의 정예들이 있으니까요. 그리고 무엇보다 살막과 은자림의 살수들이 걱정됩니다. 우리야 괜찮겠지만 아무래도 가족들은……."

"화평장의 여인들이네. 다들 제 한 몸 지킬 능력은 가지고 있지."

담우천이 담담하게 말했다.

"거기에 우리도 있고. 안 그래도 나는 시흘 동안 인근 주변을 샅샅이 수색할 참이네. 그러니 너무 걱정하지 말게."

"그러면 저도……."

"됐다. 군악 너는 이곳에서 가족들을 지켜라."

강만리의 말에 화군악이 입을 삐죽이다가 문득 이 층 계단 벽면에 우두커니 서 있던 담호와 초목아를 보고는 의아한 표정을 지으며 물었다.

"너희들 게서 뭐하고 있는 거니?"

담호가 우물쭈물할 때 초목아가 웃는 얼굴로 대답했다.

"아이들 보러 가려고요."

"그래? 가 봐라. 정말 못생겼더라. 하하하."

화군악이 웃자 강만리가 그를 노려보며 말했다.

"원래 갓 태어난 아이들은 다들 원숭이 같은 게다. 네 소군도 그러했다."

"하지만 이 녀석들은 눈썹이 붙었더라고요, 이렇게 일자(一字)로."

화군악은 양손가락을 들어 제 눈썹에 가져가 대며 웃었다. 강만리가 더더욱 못마땅하다는 표정을 지으며 주먹을 불끈 쥐어 보였다.

"정말이지 갓난아기를 두고 할 말이 따로 있지."

"아휴. 농담이에요, 농담. 너무 그렇게 정색하고 화내지 마세요."

화군악이 두 손을 저으며 웃었다.

초목아와 담호는 그런 숙부들을 뒤로하고 계단을 올랐다. 초목아가 소곤거렸다.

"정말 원숭이를 닮았을까?"

지하 창고에서 잔뜩 삐치고 토라진 채 홀로 밖으로 나갔던 초목아는 어느새 사라지고 없었다. 대신 평소처럼 다정하고 쾌활하게 웃는 그녀로 바뀌어 있었다.

담호는 초목아의 향긋한 숨결이 제 목덜미를 간질이자 문득 가슴이 두근거렸다. 담호는 애써 내색하지 않고 조그만 목소리로 대꾸했다.

"화 숙부 말씀이야. 대부분 농담으로 들으면 돼."

"그럴까? 쌍둥이를 본 적이 없어서 진짜 기대된다."

두 사람은 소곤거리며 이 층으로 올랐다.

때마침 이 층 복도에서는 쌍둥이를 목욕시키는 중이었

다. 복도를 따라 방으로 향하던 초목가와 담호의 걸음이 절로 멈췄다. 초목아는 눈을 크게 뜨고 쌍둥이를 바라보았다.

자칫 힘을 주면 부서질 것만 같은 아이들이었다. 아이들을 씻기고 있는 만해거사의 팔뚝에도 미치지 못한 정도로 조그만 아이들이었다.

만해거사는 조심스러운 손길로, 나무통 안에 들어 있는 물에 한 아이를 담갔다. 아이가 바동거렸다. 만해거사는 천천히 물을 끼얹으며 아이를 씻겼다. 그러다가 몇 방울 아이의 입속으로 흘려보내기도 했다.

"음?"

가만히 지켜보고 있던 담호는 그제야 비로소 나무통에 들어 있는 물이 평범한 물이 아님을 알아차렸다.

마치 황하(黃河)의 그것처럼 싯누런빛을 띤 물. 그건 물이 아니었다. 황금인형설삼과 만년화리 내단을 끓여낸, 그야말로 영약 덩어리의 물이었다. 만해거사와 구자육이 심혈을 기울여 조합하여 만든 약수(藥水)였다.

만해거사는 갓난아기들의 반응을 살피면서 몸 구석구석 약수를 끼얹고 한두 방울씩 먹였다.

"쭈글쭈글하네. 할아버지들처럼."

초목아가 담호의 곁에서 소곤거렸다.

"토실토실하고 부드러울 줄만 알았는데."

담호는 만해거사와 갓난아기들의 모습에서 시선을 떼

지 않은 채 대꾸했다.

"갓난아기들은 원래 저래. 한 열흘 정도 지나면서 살이 붙고 예뻐지거든."

"흠, 너는 갓난아기들을 많이 봤나 보네."

"응. 아창이나 보보도 저랬거든."

"그랬구나."

초목아는 한 차례 고개를 끄덕인 후 다시 눈앞의 광경에 신경을 집중했다.

갓난아기들은 그녀가 상상했던 것처럼 예쁘거나 귀엽지 않았다. 피부는 쭈글쭈글했고 피부색도 울긋불긋했다. 아직 제대로 떼어 내지 않은 탯줄이 검붉은빛으로 매달려 있는 것이 외려 섬뜩하고 징그럽게까지 느껴졌다.

"다 되었네."

만해거사는 두 아이를 모두 씻긴 후 대기하고 있던 시녀들에게 건네며 말했다.

"지금 당장 수건이나 베로 닦지는 말게. 그 약수가 몸에 스며들 때까지 기다려야 하니까."

"알겠습니다."

시녀들이 조심스레 아이들을 받아서 방으로 들어갔다. 만해거사는 다른 여인에게 지시했다.

"이 약수도 버리지 말고. 앞으로 한 달 내내 이 물을 사용해야 하니 말이지."

"그리하겠습니다."

여인은 소중한 물건을 들 듯 나무통을 들고 복도를 따라 걸어 나왔다. 복도 입구를 막고 서 있던 담호와 초목아가 황급히 옆으로 비켜섰다.

"음? 담호더냐?"

손을 닦던 만해거사가 그제야 담호와 초목아를 발견하고는 인자한 미소를 지으며 물었다.

"왜? 아이들을 보러 왔느냐?"

"네."

"네, 할아버지."

초목아가 밝게 웃으며 쪼르르 달려갔다. 그러고는 최대한 귀엽고 깜찍한 표정을 지으며 입을 열었다.

"아기들을 씻긴 그 누런 물 있잖아요? 그게 진짜 효능이 있는 건가요? 있다면 무슨 효능이 있어요?"

## 2. 그날 오후

갑작스런 초목아의 질문에 만해거사는 눈을 동그랗게 뜨며 되물었다.

"그건 왜?"

"궁금해서요."

초목아는 솔직하게 말했다.

"그 누런 물이 온갖 영약을 달인 물이라는 건 알고 있어요. 일전에 화평장 모든 사람들이 달여 먹었던 그것과 같은 거잖아요? 하지만 운기조식도 할 줄 모르고 심법도 익히지 않은 갓난아기들이 그저 몇 방울 먹고, 또 그 물로 몸을 씻는다고 해서 엄청난 내공을 갖는 건 아닐 거잖아요?"

"그야 그렇지."

"그럼 도대체 어떤 효능을 기대하고 아이들을 씻기는 건가요?"

"허허허."

만해거사가 웃으며 입을 열었다.

"그건 말이다. 무공을 익히고 내공을 받아들이기에 좋은 그릇을 만들고자 하는 게다. 환골탈태까지는 아니더라도, 그와 비슷한 신체로 탈바꿈하게 하는 게지. 같은 수련을 해도 좀 더 빠르게 익힐 수 있게, 같은 운기조식을 해도 많은 내공이 쌓일 수 있도록 말이야."

"네? 그건 반칙 아닌가요?"

초목아가 눈썹을 모으며 말했다.

"남들과 같은 선에서 출발해서 동등하게 실력을 겨루고, 그렇게 해서 남들보다 훨씬 뛰어난 자가 되는 게 정도(正道)가 아닌가요?"

"허허허. 정도라는 건 사람마다 다르겠지. 그리고 처한 상황에 따라서 달라지기도 하고. 부자의 정도와 빈곤한 자의 정도가 다를 것이고, 고수의 정도와 하수의 그것이 또 다를 것이야."

만해거사가 이야기를 하는 동안 담호는 방 안을 살펴보았다.

침상에는 당혜혜가 양쪽으로 쌍둥이들을 안은 채 반쯤 몸을 일으켜 앉아 있었고, 쌍둥이들은 그녀의 젖가슴을 빨고 있었다. 당혜혜의 새하얗고 풍만한 젖무덤을 본 담호는 화들짝 놀라며 시선을 거둬들였다.

그러는 동안에도 만해거사의 말은 계속해서 이어졌다.

"세상은 평등하지 않단다. 부자의 자식은 날 때부터 부자인 게고, 가난한 집의 자식은 날 때부터 가난한 게지. 무림인들도 마찬가지란다. 애당초 태어날 때부터 서로의 간극이 벌어져 있는 게야."

"하지만……."

"그렇다고 해서 마냥 부모를 탓하고 하늘을 원망하고 세상을 질시한다면, 과연 그 간극이 메워질까? 아니지. 세상이 평등하지 않다는 걸 인정하고, 어떻게든 그 격차를 좁히기 위해서 발버둥을 쳐야 하는 게다. 뒤처지지 않기 위해서, 물속으로 가라앉지 않기 위해서 죽어라 발버둥을 치다 보면 길이 열리고 앞이 보이게 되는 게다. 하늘은 말이다. 노력한 자를 외면하지 않는단다."

만해거사의 말을 들으며 잠시 생각하던 초목아가 아직도 이해되지 않는다는 얼굴로 말했다.

"하지만 아무리 노력해도 길이 보이지 않는다면요? 여전히 다른 사람들을 따라잡지 못한다면요?"

"그건 노력이 부족한 게지."

만해거사는 빙긋 웃으며 말을 이었다.

"노력이라는 건 말이다. 포기하고 싶을 때까지 한 다음에 한 번 더 해 보는 게 노력이라는 게다. 아, 군악이 너와 비슷한 과거를 지녔으니 나중에 그 녀석에게 어떻게 살아왔는지 한번 이야기를 들어 보는 것도 좋을 게다."

"알겠어요, 감사합니다."

초목아는 고개를 꾸벅 숙였다. 만해거사는 미소를 지우지 않은 채 말했다.

"그래. 그럼 아이들을 보러 가 보렴."

"네."

초목아는 활기찬 목소리로 대답한 후 방 안으로 들어섰다. 담호가 깜짝 놀라 그녀를 만류했다.

"왜?"

막 방으로 발을 디디려던 초목아가 의아한 표정을 지으며 돌아봤다. 일순 담호는 대답하기를 망설였다.

"그게 그러니까……."

"참 싱겁구나, 넌."

초목아가 피식 웃더니 방으로 들어서며 말했다.

"쌍둥이를 보러 왔어요."

방안에서 다정한 목소리의 대답이 들려왔다.

"잘 왔다. 얼마나 귀여운지 보렴."

나찰염요의 목소리였다.

담호는 슬그머니 고개를 내밀어 방 안을 확인했다. 어느새 쌍둥이들은 젓을 다 먹었는지 새근새근 잠들어 있었고, 당혜혜 또한 옷을 추스르고 누워 있었다.

담호는 안도의 한숨을 쉬고는 초목아의 뒤를 따라 방으로 들어섰다.

* * *

정오 무렵이 되어서야 길고 긴 축하 행렬의 줄이 사라졌다. 한자리에서 열 동이 이상의 술을 마신 장예추의 얼굴을 새빨갛게 변했다가 다시 새하얀빛이 되었다.

"그래, 아이들 이름은 뭐로 지었냐?"

화군악이 어슬렁거리며 다가와 장예추의 옆구리를 툭툭 치며 그렇게 물었다.

장예추는 길게 한숨을 토해 냈다. 화군악이 코를 막을 정도로 지독한 술 냄새가 그의 한숨에 실려 나왔다.

"원래 사내 녀석이라면 무행이라는 이름을 주려고 했어."

장예추는 술 냄새 풀풀 풍기며 말했다.

"하지만 둘 다 사내 녀석이다 보니, 또 하나는 뭐로 불러야 할지 아직 정하지 못했지."

"흠, 사내 녀석들만이라 기쁘나 보네."

"그야 뭐."

굳이 남존여비(男尊女卑) 운운할 필요가 없었다. 이 시대의 사고방식이라면 당연히 자식은 아들이어야 했다. 대를 잇는 것도 아들이고, 돈을 벌어 오는 것도 아들이었다.

"쳇! 부럽다, 부러워."

화군악은 팔베개를 하면서 투덜거렸다.

딸만 하나 있는 그로서는 확실히 장예추가 부러울 법했다. 장예추는 피식 웃으며 말했다.

"부러워하는 것치고는 너무 예뻐하는 것 같던데? 아주 소군이라면 죽고 못 사는 것처럼 말이지."

"그야 진짜 예쁘니까. 고 녀석, 요즘 날 알아보더라니까? 내가 가까이 가면 빠빠, 하면서 그 앙증맞은 손을 뻗으며 안기려고 하거든. 한 번 안아 주면 까르르 웃는데, 이야! 아들은 그런 거 없을 거야."

"그런가?"

"그렇지. 당연히 그렇지."

그렇게 힘줘 말하는 화군악의 표정이 왠지 허탈하게만

느껴지는 건 장예추의 착각일지도 몰랐다.

"참, 담 형님은?"

장예추는 뒤쪽을 둘러보며 화제를 돌렸다. 그의 뒤쪽 구석진 자리에는 강만리와 설벽린만이 남아서 뭔가 소곤소곤 대화를 나누고 있었다. 조금 전까지 그 자리에 있었던 담우천의 모습이 보이지 않았다.

"아, 외곽 순찰을 하러 나가셨어."

화군악은 어깨를 으쓱거리며 말했다.

"이 유명촌 일대에 얼씬거리는 놈이 있으면 그 자리에서 목을 베겠다고 하시면서 말이지."

"담 형님이라면야……."

장예추는 몇 차례 눈을 깜빡였다. 급속도로 취기가 올라오고 있었다. 내공의 힘을 빌려 취기를 없앨 수는 있었지만 굳이 그렇게까지 하고 싶지는 않았다.

좋은 날, 좋은 의미로 받은 축하의 술잔이었다. 한껏이 기쁜 마음을 즐기고 싶은 게 장예추의 진심이었다.

"그런데 생각보다 기뻐하지 않는 것 같은데?"

화군악이 장예추의 얼굴을 들여다보며 물었다. 장예추는 미소를 머금으며 말했다.

"기뻐."

"진짜?"

"그래. 하늘을 날아갈 정도로. 밖에 나가서 내 아들들이라고, 내가 아빠가 되었다고 소리치고 싶을 정도로 기뻐."

"흠, 그래. 그거 무슨 기분인지 나도 잘 안다. 소군을 얻었을 때 나도 그랬으니까."

중얼거리던 화군악이 문득 흐흐 웃으며 장예추의 등을 두드렸다.

"그나저나 쌍둥이라니, 이제 잠은 다 잔 줄 알아라."

화군악과 장예추가 그런 대화를 나누는 동안 잔치 준비는 한 치의 차질도 없이 착착 진행되고 있었다.

멀리서 돼지 멱 따는 소리도 들려왔고, 오리들의 구슬픈 울음소리도 들려왔다. 태산내내의 진두지휘 아래 유명촌의 사람들이 합심하며 소도 잡고, 돼지도 잡고, 오리도 잡았다.

주방에도 인력이 투입되었다. 아무리 저귀가 노련한 숙수라 할지라도 그 모든 음식과 요리를 혼자서 다 만들 수는 없었다. 화평장의 시녀들과 유명촌의 나이 든 여인들이 그를 보조하여 잔칫상에 올릴 요리들을 만들고 있었다.

"그나저나 생각했던 것과는 좀 다른데, 이 마을."

화군악이 문득 진지한 표정을 지으며 말했다. 장예추가 물었다.

"뭐가?"

"이곳 사람들 말이야. 그저 평범한 도망자고 범법자들이라고만 생각했는데, 아무래도 그건 아닌 것 같아서."

"그럼?"

"음? 넌 눈치채지 못했어?"

"나? 나야 만나 본 사람이 저귀와 태산내내뿐이라."

"아, 그랬나?"

화군악은 힐끗 주방을 돌아보며 목소리를 낮췄다.

"조금 전에 소피를 보러 후문 밖으로 나가다가 주방에 있던 여인들과 눈이 마주쳤는데 말이지. 등골이 오싹해지고 소름이 확 돋더라고."

"왜?"

"그야 모르지. 하지만 나를 쳐다보던 그 눈빛이 아직도 잊히지 않아."

화군악은 잠시 생각하다가 다시 입을 열었다.

"그렇다고 발걸음이나 자세를 보면 그리 대단한 무공의 고수는 아닌 것 같고. 하지만 그 눈빛만 보면 내가 움츠러들 정도로 고강한 절대 고수처럼 느껴지기도 하고."

"흠."

장예추는 화군악의 말을 허투루 듣지 않았다. 비록 평소 농담 잘하고 야료(惹鬧)도 잘 부렸지만, 이런 식의 농담은 절대 하지 않는 화군악이었다.

"생각해 보면 말이지."

장예추가 천천히 입을 열었다.

"이런 외딴 마을에 태산내내 같은 인물이 있다는 것도

수상쩍기는 하지. 주안술(朱顏術)은 결코 평범한 무공이 아니니까 말이야."

"음? 태산내내가 주안술을 익힌 거야?"

"몰랐어? 그러면 어떻게 그 노파의 얼굴이 그리 젊고 예쁘다고 생각했는데?"

"그야 젊고 아름다운 여인이 노파 흉내를 내는 거라고 생각했지."

"하아."

장예추는 어이가 없다는 듯 탄식했다. 화군악이 머리를 긁적이며 말했다.

"주안술이라는 거, 그런 걸 익히는 사람이 있을 줄 누가 상상이라도 하겠어?"

주안술은 말 그대로 사람을 젊게 보이게 만드는 수법이었다. 내공의 힘이든, 혹은 주안과(朱顏果)를 비롯한 영약의 힘이든, 주안술을 익히면 백 살의 노인도 이십 대의 팔팔하고 생동감 넘치는 외모를 유지할 수 있었다.

하지만 단지 그뿐이었다. 육체적 능력이 증강되는 것도 아니고 내공이 깊어지는 것도 아니었다.

들이는 노력과 수고에 비하자면 그 효용 가치가 크게 떨어져서, 지금은 거의 사장되어 찾아볼 수 없는 무공 중의 하나가 된 지 오래였다.

"저귀가 말했잖아. 예전에는 태산낭랑이라 불렸지만

세월이 지나 지금에 이르러서는 태산내내라고 불린다고 말이야."

"그게 그런 의미였나? 쳇, 그럼 내가 할머니를 보고 아랫도리가 불끈해졌던 거야? 이런 젠장."

화군악의 투덜거림에 장예추는 어이가 없다는 표정을 지었다. 이제는 화군악의 말이 어디까지가 농담이고, 어디까지가 진담인지 알 수 없을 것만 같았다.

* * *

"저곳이 유명촌이라는 마을인가?"

"흠, 아무리 많이 잡아도 백 명도 채 살지 않겠군."

"다들 도망자에 범법자들이라지."

"응? 잔치라도 벌리는 건가? 돼지 잡는 소리가 들렸는데."

"나도 들었네. 저런 조그만 마을에서 돼지를 잡는다니."

"오리들 울음소리도 들은 것 같아. 대략 열 마리 이상 되는 것 같은데."

"호오, 궁금한걸. 도대체 무슨 일이 벌어지고 있는 걸까?"

세 명의 사내는 광활한 황무지 저편에 신기루처럼 보이는 마을을 주시하며 대화를 나눴다. 그들의 얼굴까지 가리는 두건과 피풍의(披風衣)의 색은 피처럼 붉었다.

"놈들이 잔치를 벌이기라도 하는 걸까?"

"설마. 우리가 뻔히 추격하는지 알면서도 그렇게 여유를 부리지는 않을 걸세."

"나도 그리 생각하네."

"뭐, 가서 확인해 보면 알 수 있겠지."

"아, 먼저 본대에 연락을 보내고."

"연락은 무슨. 무슨 잔치인지 확인한 후에 보내도 늦지 않아. 아무 일도 아니라면 괜히 폭죽만 낭비하게 된다고."

"그것도 그렇군."

품에서 연락용 폭죽을 꺼내 들던 자가 다시 품에 넣었다. 그러고는 다른 두 명의 동료와 함께 지면을 박찼다.

일순 세 명의 사내는 애초부터 그 자리에 없었던 것처럼 순식간에 자취를 감췄다.

### 3. 그날 저녁

구석진 자리에 앉아서 설벽린과 대화를 나누던 강만리는 문득 소매에 가려져 있던 그의 오른손을 뒤늦게 확인하고는 저도 모르게 눈이 휘둥그레졌다.

"어라? 그게 뭐냐?"

"아, 이거요?"

설벽린이 자랑스레 오른손을 들어 올렸다.

"허억!"

강만리는 저도 모르게 헛바람을 들이 삼켰다.

진악패도의 칼에 손목까지 싹둑 잘려 나갔던 설벽린의 오른손이 다섯 손가락 그대로 붙어 있었던 것이다.

강만리의 목소리가 컸는지 앞의 탁자에서 대화를 나누고 있던 화군악과 장예추가 뒤돌아보았다. 그들 또한 설벽린의 오른손을 보고는 깜짝 놀라며 자리에서 벌떡 일어났다. 마치 죽은 사람을 다시 본 듯한 얼굴들이었다.

"그게 뭡니까, 설 형님?"

"설마 의수(義手)입니까?"

화군악과 장예추가 동시에 물었다. 설벽린은 싱글거리며 고개를 끄덕였다.

"그래. 의수다. 오늘 아침부터 착용하고 있었는데 이제야 알아보다니, 다들 눈치가 없군그래."

"허어!"

화군악과 장예추는 곧바로 설벽린의 앞으로 달려왔다.

"어디 한번 봐요. 진짜 의수인지 아닌지."

화군악은 도저히 믿지 못하겠다는 듯 설벽린의 손을 잡으려 했다.

그러자 설벽린은 황급히 손을 등 뒤로 돌리며 말했다.

"나중에."

"나중이라니요?"

"조금 더 내가 제대로 사용할 수 있게 되면."

"그건 또 무슨 말씀입니까?"

장예추가 이해되지 않는다는 표정으로 물었다.

"의수를 제대로 사용한다니요?"

"그런 게 있다."

설벽린은 의미심장한 표정을 지으며 다시 소매춤으로 의수를 가렸다.

의수는 말 그대로 절단된 손 대신 사용하기 위해 만들어진 기구였는데, 생각보다 그 역사가 꽤 오래되어 수백 년 전에도 의수를 활용했다는 기록이 전해져 내려왔다.

초기의 의수는 단순했다. 갈고리를 달아 손을 대신하기도 했고, 그저 손 모양으로 만든 나무나 철구(鐵具)가 전부이기도 했다.

하지만 저 전설의 장인(匠人) 노반(魯班)이 손가락이 움직이는 의수를 만들었다는 비화(祕話)를 남긴 이후, 수많은 도공(刀工)과 장인들이 진짜 손처럼 사용할 수 있는 의수를 제작하고자 노력했다.

"헌원 노대가 만든 거냐?"

강만리가 물었다. 설벽린이 고개를 끄덕였다.

"네. 제 손이 이렇게 된 후부터 하루도 쉬지 않고 이걸 만드셨어요. 정말 어떻게 그 은혜를 갚아야 할지 모르겠습니다."

"흠, 왜 그동안 두문불출했는지 이제야 알겠구나."

강만리는 엉덩이를 긁적였다.

북경부에 당도한 이후, 헌원 노대는 채석장에 틀어박힌 채 단 한 걸음도 나오지 않았다. 심지어 황궁보고에도 전혀 관심을 두지 않았다.

북경부를 떠나 유주로 오는 동안에도 마찬가지였다. 그는 짐이 가득 실린 마차 구석진 자리를 홀로 차지하고 앉아서 온종일, 뭔가를 만지작거리고 있었다.

그게 설벽린에게 줄 의수였다니.

잠시 기억을 더듬던 강만리가 문득 가볍게 이맛살을 모으며 설벽린에게 물었다.

"그럼 네가 황궁보고에서 팔만사천투수침을 챙긴 건……."

설벽린이 웃으며 말했다.

"네. 바로 이 의수에 사용하려고요. 그리고 헌원 노대께서 제대로 사용할 수 있도록 개조해 주셨습니다."

"허어, 이것 참."

강만리는 엉덩이를 긁적였다.

안 그래도 그간 설벽린과 헌원 노대 둘이 구석진 곳에서 뭔가 쑥군덕거리는 걸 몇 차례 본 적이 있었다. 무슨 꿍꿍이를 꾸미는 거야? 하고 대수롭지 않게 여기며 지나

쳤던 기억이 역력했다.

"어디 한번 봐요. 구경이라도 좀 합시다."

화군악이 집요하게 달라붙어서 설벽린의 의수를 보려고 했다. 하지만 설벽린은 몸을 비틀어가면서 끝끝내 숨겼다.

"나중에."

설벽린은 화군악을 설득하듯, 혹은 자신에게 다짐하듯 이야기했다.

"완벽하게 다룰 수 있을 때 보여 줄게. 최대한 이른 시일 안에, 반드시 완벽하게 다뤄 볼 테니까 말이지. 그러니까 보채지 말고 조금만 기다려."

그렇게 말하는 설벽린의 뇌리에 문득 헌원 노대의 말이 떠올랐다.

-명심해 두게. 이걸 만든 건 나지만 완성하는 건 자네라는 걸 말일세.

헌원 노대는 그에게 의수를 건넨 후 그렇게 말을 맺었다. 불굴의 의지와 각고의 노력이 없다면 그저 평범한 의수와 다를 바가 없다는 뜻이었고, 설벽린은 반드시 그 의수를 완성하여 헌원 노대의 은혜를 갚을 작정이었다.

"쳇. 진짜 비싸게 군다. 그러지 말고 좀 보여 주세요."

화군악이 목소리를 높이며 덤벼들었다.

"나중에 보여 준다니까!"

설벽린도 소리치며 그를 저지했다.

그때였다.

"그만들 좀 해!"

주방에서 저귀의 묵직한 목소리가 범처럼 튀어나왔다. 객잔 대청이 우르르 흔들릴 정도로 쩌렁쩌렁한 목소리였다. 화군악과 설벽린이 반사적으로 행동을 멈췄다.

"한가하면 밖에 나가서 사람들이나 도우라고! 아니면 주방에 와서 나 좀 돕든가!"

아침부터 지금까지 땀을 뻘뻘 흘리면서 주방의 뜨거운 불길 앞에 있던 저귀가 성난 목소리로 외쳤다. 대청의 사람들은 너 나 할 것 없이 자라목이 되었다.

"허엄, 그럼 나는 잔치 준비가 잘되어 가는지 보러 갈까?"

강만리가 헛기침을 하며 자리에서 일어났다.

"같이 갑시다, 형님. 너희들은 주방에서 저귀를 돕든가."

설벽린이 따라 일어나며 말했다. 놀란 장예추가 화들짝 일어나며 말했다.

"아, 저는 혜혜에게 가 봐야겠습니다."

졸지에 홀로 남게 된 화군악도 서둘러 강만리와 설벽린의 뒤를 따라 문 밖으로 달려가며 소리쳤다.

"같이 갑시다, 형님들!"

* * *

"수상해."

"아무리 봐도 수상하죠?"

"확실히 수상하군."

강만리와 화군악은 팔짱을 끼고 객잔 후문 쪽 벽에 등을 기댄 채 예리한 눈빛으로 전면을 쏘아보며 대화를 나누고 있었다.

"결코 평범한 솜씨가 아닙니다. 잡은 돼지를 부위별로 분해하는 건 질리도록 봐 왔습니다만 저렇게 예리하고 정확하게, 한 톨의 살점도 낭비하지 않게끔 뼈와 살을 분리하는 건 처음 봅니다."

화군악의 말에 강만리는 이해가 가지 않는다는 듯이 고개를 갸우뚱거리며 말했다.

"칼 쓰는 솜씨가 여간 날카롭고 섬세한 게 아니야. 하지만 내공은 생각보다 낮은 것 같고, 자세나 움직임도 평범해. 그냥 평생 소 돼지만 잡고 살아온 도부(屠夫)인 걸까?"

"글쎄요. 도부라고 해도 저렇게나 예리하게 칼을 사용할 수 있을까요?"

"흠."

강만리와 화군악은 지금 두 시진가량 불에 구운 통돼지를 해체하고 있는 노인을 지켜보고 있었다.

대략 예순은 넘어 보이고 일흔은 되어 보이지 않는 마른 체구의 노인은 작두처럼 생긴 자기 팔뚝만 한 칼을 요리조리 움직이며 돼지의 살과 뼈를 분리하는 중이었다.

"저 노인뿐만이 아니다. 저쪽 소를 잡는 노인도 그렇고, 요쪽 장작을 패는 노인도 그렇다. 다들 범상치 않은…… 음? 그나저나 지금 보니 다들 노인네들뿐이네?"

강만리의 눈이 휘둥그레졌다.

그랬다. 지금 유랑객잔의 뒷마당에서 잔치를 준비하고 있는 유명촌 사람들은 최소한 예순은 넘은 노인들뿐이었다. 남자들뿐만 아니라 여인들도 하나같이 흰머리 성성한 노인들이었다.

'아, 한 명.'

중년 사내라고 하기에는 이미 초로(初老)에 접어든 사십 대 후반, 오십 대 초반의 딸기코를 한 사내가 있기는 했다. 낡은 도복에 찢어진 도관을 쓴 도사도 오십 대 후반 정도로 보이기는 했다.

하지만 사오 년 전, 강만리가 이곳에 들렀을 때도 그랬던가.

아니다. 그때는 사십 대의 술주정뱅이, 삼십 대의 팔팔

한 도망자와 악당들이 객잔 구석진 곳에 모여서 음흉한 눈빛으로 예예를 훔쳐보기도 했고, 또 수군수군 모의를 꾸미기도 했다. 이렇게 노인들만이 사는 곳이 절대 아니었다.

도대체 그 젊은-사실 그리 젊은 것도 아니지만- 자들은 어디로 간 것일까.

"불과 사오 년 사이에 저리 늙었을 리는 없고…… 당시 이곳에 살던 자들은 다 어디로 가고 이런 노인네들만 살게 된 걸까?"

강만리는 이해할 수 없다는 표정을 지으며 중얼거렸다.

그때였다.

"음?"

강만리와 화군악의 눈이 커졌다. 돼지를 잡던, 소를 잡던, 장작을 패던, 불을 지피던 노인들이 거의 동시에 움찔거리며 어느 한쪽으로 시선을 돌렸던 것이다.

하지만 거의 반사적으로 노인들은 다시 제 할 일에 몰두했다. 마치 아무 일도 없었다는 것처럼, 아무 행동도 하지 않았다는 것처럼.

'뭐지?'

강만리는 수상쩍다는 눈빛으로 노인들을 훑고는 이내 그들이 시선을 돌린 방향으로 고개를 돌렸다. 유명촌으로 들어서는 초입이었다.

그곳에는 두 명의 화평장 무사가 경비를 서고 있었는데, 별다른 움직임이나 신호를 보내지 않는 걸로 보아 특별한 일이 없는 듯했다.

그러나 강만리의 표정은 진지했다. 어느덧 뉘엿뉘엿 서쪽으로 지는 햇살로 광활한 황무지가 붉게 물들어 가는 모습에서 시선을 떼지 않은 채 강만리가 낮은 목소리로 말했다.

"군악, 초입 쪽으로 가 봐라."

아휴, 귀찮아요. 별일도 없는 것 같은데요, 뭐. 무슨 일이 생기면 연락을 보내오겠죠.

평소라면 그리 말했을 화군악이었으나 지금은 달랐다. 강만리의 낮고 묵직한 목소리가 아니더라도, 그 또한 뭔가 심상찮은 일이 벌어지고 있다는 것을 직감했기 때문이었다.

"다녀오겠습니다."

화군악이 속삭이듯 말하고는 벽에서 등을 뗐다 싶은 순간 그의 신형은 바람처럼 공간을 가르고 사라졌다. 한 줄기 바람이 뒤늦게 불었다.

이번에도 노인들이 움찔거렸다. 강만리의 예리한 눈빛은 노인들이 움찔거리는 모습을 놓치지 않았다.

'역시…….'

이 노인들, 그냥 평범한 늙은이들이 아니다.

태산내내도 그렇고, 저 돼지 해체하는 노인도 그렇고, 장작을 쪼개는 노인도 그렇고, 다들 정체를 숨기고 있는 은 거 노인들임이 분명했다.

'도대체 이 노인네들은…….'

강만리의 눈빛이 어스름처럼 깊고 어두워지는 가운데, 유명촌에도 밤이 찾아오고 있었다.

3장.

# 유명촌(幽冥村)의 밤

"둘 다겠지. 하지만 곧 밤이 될 게고,
그렇게 사위에 어둠이 깔리면 더는 우리를 무시할 수 없게 될 게다.
그리고 잔칫상은 곧 제사상으로 바뀌게 될 게고."

## 1. 무행(武行) 무진(武進)

비슷한 시각.

유랑객잔의 이 층 제일 큰 방에는 장예추가 있었다. 그는 당혜혜가 가슴을 풀어 헤친 채 쌍둥이에게 젖을 먹이는 모습을 물끄러미 지켜보다가 불쑥 손을 뻗어 그녀의 땀에 젖은 머리카락을 가지런히 정돈했다.

당혜혜가 고개를 들어 그를 쳐다보며 빙긋 웃었다.

장예추는 다시 젖꼭지 하나씩을 물고 열심히 빨아먹는 두 아들을 내려다보며 입을 열었다.

"마치 강아지들 같군."

"그러니까요."

당혜혜는 미소를 머금은 채 말했다.

"이렇게 가만 보고 있자면 진짜 강아지들 같아요. 눈도 제대로 뜨지 못한 채 어미 젖을 찾아서 꾸물꾸물 기어가 열심히 젖을 먹는 강아지들 말이에요."

"고생했어. 이렇게 큰 강아지들 낳느라."

"고생은요."

당혜혜는 장예추보다 나이가 많았다. 강호 경험도 많았으며 지식도 많았고 지인들도 많았다.

과거 무림십팔군영(武林十八群英)이라고 해서, 강호에서 제일 잘나가는 후기지수(後起之秀) 열여덟 명이 있었는데 당혜혜는 그중 한 명이었다.

하지만 당혜혜는 언제나 장예추의 뒤에 있었다. 나이가 많았음에도 불구하고 늘 그에게 존대했고, 경험이 많았음에도 불구하고 늘 그의 말을 경청하고 따랐다.

그녀는 자신의 의견을 적극적으로 내세우지도 않았으나, 반면 조언이 필요할 때면 입을 다물지도 않는 현명함을 가지고 있었다.

천휘수를 죽인 이후 모든 걸 잊고 홀로 은거하려 했던 장예추를 끝까지 붙잡아 일으켜 세운 것 역시 당혜혜였다.

당혜혜는 자신의 남편이자, 이제는 두 아이의 아빠가 된 장예추를 올려다보며 물었다.

"아이들 이름은요?"

"아, 그게……."

장예추는 머리를 긁적이며 입을 열었다.

"곰곰이 생각해 봤는데 큰아이는 역시 무행(武行)으로 하고, 둘째 녀석은 무진(武進)으로 하는 게 어떨까 싶어. 이름은 다르지만, 처음 사내 녀석에게 무행이라는 이름을 주려 했던 그 의미는 둘 다 같으니까."

"무도(武道)의 길을 따라 나아가라, 이거 말이죠?"

"그래. 하지만 당신 마음에 들지 않거나 달리 생각한 게 있으면 말해도 돼."

"아니에요."

당혜혜는 싱긋 웃으며 말했다.

"사내아이의 이름은 전적으로 당신에게 맡겼으니까요. 무행, 무진…… 장무행, 장무진……. 그러네요. 좋은 울림을 가지고 있어요. 마음에 들어요."

서너 차례 그 이름을 되뇌던 그녀는 고개를 끄덕이며 만족한다는 미소를 지었다.

장예추는 내심 안도의 한숨을 내쉬었다.

밤새도록 고민하면서 생각한 이름이었다. 혹시라도 당혜혜가 마음에 들지 않으면 어떡하나 하는 걱정에 정작 이름을 지어 놓고도 몇 번이고 또 다른 이름들을 떠올리기도 했다.

막상 당혜혜가 만족해하자 장예추는 마음이 놓이는 한편 문득 호기심이 들어 입을 열었다.

"그런데 여자아이가 태어났으면 뭐라고 부르려 했어?"

당혜혜는 살짝 부끄러운 표정을 지으며 말했다.

"나중에, 여자애를 갖게 되면 그때 이야기할게요."

"응? 또 낳으려고?"

"이왕이면 여자애도 있는 게 좋지 않아요?"

"그야……."

장예추는 보보나 소군이 귀여운 짓을 할 때의 모습을 떠올렸다. 확실히 여자아이는 부모에게 강정이나 담창 같은 사내아이와는 전혀 다른 행복감을 주었다.

그때, 한참이나 당혜혜의 젖을 빨던 두 아이가 거의 동시에 그녀의 젖꼭지에서 입을 뗐다. 당혜혜가 한 아이를 장예추에게 건네며 말했다.

"이렇게 안고 등을 쓸어 주세요. 트림이 나올 때까지요."

장예추는 당황해하며 아이를 안고 허둥거렸다.

"이렇게?"

"네, 그렇게요."

장예추는 제 품에 안긴 채 그 조그만 입술을 꼬물거리는 아이를 내려다보며 아이의 등을 쓸어 주었다.

"트림은 왜?"

"트림을 해야만 토하지 않는대요."

"그래?"

장예추는 다시 아이를 내려다보다가 고개를 갸웃거리며 난감한 표정을 지었다. 이 아이가 무행인지 무진인지 분간이 가지 않았던 게다.

당혜혜는 그런 장예추의 표정을 보고는 무슨 생각을 하는지 다 안다는 듯 빙긋 웃으며 말했다.

"큰애예요, 무행."

"그래? 나는 전혀 모르겠는데 당신은 어떻게 구별해?"

"자기 아들들을 구별하지 못하면 엄마의 자격이 있겠어요?"

'그럼 나는 아빠 자격이 없는 건가?'

장예추가 내심 그리 중얼거리며 당황해할 때 당혜혜가 배시시 웃으면서 말했다.

"사실 저도 얼굴만으로는 아직 긴가민가해요. 그래서 여기 팔뚝을 보고 구분해요."

당혜혜는 자신이 안고 있는 아이의 오른팔을 들어 올렸다. 아이의 팔에는 점 같기도 하고 멍 같기도 한 푸르스름한 자국이 조그맣게 나 있었다.

"태산내내의 이야기에 따르자면 아이가 태어나면서 엄마 몸에 부딪힌 흔적이라네요. 시간이 흐르면 없어진다고 너무 걱정하지 말라고 하더라고요."

"호오."

장예추는 새삼스러운 눈으로 둘째 아이 무진을 내려다보았다.

그때였다. 아이들에게서 꺼억, 하면서 트림하는 소리가 동시에 들렸다. 놀랍게도 두 아이가 거의 똑같게 트림을 한 것이다.

'허어, 이게 쌍둥이란 말이지?'

장예추는 신기해하며 두 아들을 번갈아 바라보았다.

두 몸이되 하나인 아이들. 마치 하나의 마음과 행동을 공유하는 것 같은 아이들.

장예추는 초보 아빠의 시선으로 제 아들들을 내려다보다가 문득 낯을 굳히며 창밖으로 시선을 돌렸다. 화군악이 화살처럼 허공을 가르고 쏘아져 나가는 모습이 언뜻 그의 시야에 들어왔다.

'무슨 일이라도 생긴 건가?'

장예추가 긴장하는 순간, 그의 품에 안겨 있던 큰아들이 갑자기 울음을 터뜨렸다.

긴장에 사로잡힌 장예추가 자신도 모르게 한순간 힘껏 아이를 껴안는 바람에 아픈 듯이, 혹은 마치 장예추의 불안하고 초조한 기분을 알아차린 것처럼 무행이 갑작스레 울기 시작했다.

그러자 둘째 녀석 무진도 따라 울음을 터뜨렸다. 복도 저편에서 대기하고 있던 나찰염요가 부리나케 달려왔다.

"아직 아빠가 낯선 모양이네. 이리 주세요."

나찰염요는 장예추로부터 아이를 건네받고 어르기 시작했다. 당혜혜도 한없이 부드러운 눈빛으로 무진을 내려다보며 얼렀다.

졸지에 외톨이가 된 장예추는 머쓱한 표정으로 두 여인과 두 아들을 지켜보다가 다시 창밖으로 시선을 돌렸다. 그의 눈빛이 한없이 매서워졌다.

"그럼 저는 이만 나가 보겠습니다. 몸조리 잘하고."

장예추는 나찰염요와 당혜혜의 대답도 기다리지 않고, 빠른 걸음으로 방을 빠져나갔다. 복도를 따라 계단으로 향하는 그의 얼굴이 그 어느 때보다도 딱딱하게 굳어져 있었다.

'행여라도 내 아이들을 위험에 처하게 만드는 자가 있다면…….'

반드시 죽이고 또 죽일 것이다. 그 어느 때보다도 가혹하고 잔인하게, 두 번 다시 내 아이들을 위협하지 못하도록 완벽하고 압도적으로 죽여 없앨 것이다.

장예추는 그런 무언(無言)의 결의와 살기가 가득 담긴 표정을 지은 채 서둘러 객잔을 빠져나갔다.

* * *

"와아, 돼지 굽는 냄새가 진동하는데?"

"아, 배고프다. 술도 당기고. 우리가 마지막 조니까, 다음 교대는 자정 무렵이겠지? 쳇, 순번을 잘못 뽑았어."

"그래도 새벽에 일어나 제대로 잠도 자지 못하고 경계 근무를 하는 것보다 낫잖아? 먹을 거야 알아서들 가져다 주겠지."

"술이 없잖아, 술. 아까 경비 서기 전에 잠깐 주방을 봤더니 기름에 튀긴 오리구이가 이만큼이나 있더라니까. 거기에 죽엽청을 걸치면, 크으."

군침을 흘리던 무사는 소매를 들어 입을 훔쳤다. 동료도 쓰읍 하며 입맛을 다셨다.

유명촌 초입에서 주변을 경계하는 임무를 맡은 이 두 사내는 고굉이 데리고 온 낭인들로, 화평장의 일원이 되기 전까지는 사천 일대에서 나름대로 이름을 날리던 자들이었다.

주로 고관대작의 호위 무사, 혹은 호원(護園) 무사의 일을 맡았으며 가끔은 중소 문파나 조직의 청탁을 받아 용병 노릇도 했었다.

그렇다고 해서 내공을 자유자재로 사용하고 펼칠 줄 아는 절정의 내가(內家) 고수까지는 아니었다. 이류를 벗어난 일류급 정도, 그게 이 두 사내를 평하는 일반적인 세간의 시선이었다.

하지만 화평장의 일원이 된 이후, 그들의 무위는 급속

도로 높아졌다. 그들은 다른 무사들과 함께 매일 양위에게 지도를 받았다. 그 어느 때보다도 강도 높은 훈련과 열정적인 수련이 이어졌다.

물론 '우리가 무슨 갓 무공을 배우는 하급 제자들인 줄 아나?' 하고 반발하며 화평장을 떠난 이들도 적지 않았다. 어쨌든 그들은 고용 무사였지, 문파의 제자가 아니었으니까.

더더군다나 이미 술에 절고 계집의 살맛에 익숙해진 상황에서는 그 고되고 강도 높은 훈련을 따라갈 체력조차 없었다.

하지만 지금은 잊어버린, 그러나 어렸을 적 품었던 그 원대한 야망과 꿈을 떠올린 자들은 끝까지 그 수련을 참고 버텨 냈다.

그들은 지금보다 강해질 수 있다면 양위의 발바닥이라도 핥겠다는 각오로 견뎌 냈고, 이 두 사내 또한 그런 각오 속에서 끝까지 화평장에 남은 이들이었다.

당연히 그들의 무위는 높아졌고 투기(鬪氣)는 날카로워졌으며 움직임과 자세는 예전보다 몇 배는 더 날렵하고 안정되었다.

이제는 일류 고수 중에서도 상급에 해당하는 실력을 갖추었으나 문제는 내공이었다. 내공이 부족한 까닭에 그들은 조금 더 높은 경지로, 이른바 절정의 경지로 오를 수가 없었다.

그런 화평장 무사들에게 며칠 전의 영약은 그야말로 단비와 같았다. 최소한 십 년에서 무려 삼십 년가량의 내공을 단숨에 얻을 수 있는 영약을 복용한 그들은, 그 영약의 효능은 온전히 제 것으로 만들기 위해 하루에도 수십 차례 운기조식을 하고 심법을 운용했다.

내공이 높아진 것과 그 내공을 제 것으로 만들어 자유자재로 펼치는 건 전혀 다른 차원의 일이었다.

내공이 높다고 해서 순식간에 내공의 고수가 되는 것도 아니었다. 외려 한꺼번에 높아진 내공을 무리하게 사용하려다가 주화입마에 빠지는 경우도 왕왕 있었다.

유명촌 초입을 지키고 서 있는 이 두 사내는 그 짧은 시일 동안, 놀랍게도 영약의 복용으로 생긴 이십 년 내공을 완벽하게 자신의 것으로 만든 무사 중 두 명이었다.

그들은 기존에 익혀 두었으나 내공의 부족으로 인해 펼칠 수 없었던 내가기공(內家氣功)까지 자유자재로 펼쳤다.

그래서였다.

바로 이날 아침, 양위가 그들이 펼친 무공에 감탄하며 크게 고개를 끄덕였다.

−이제 자네들은 확실한 당경(堂境)의 고수라 할 수 있겠다.

## 2. 당경(堂境)의 고수

당경이라면 구파일방의 당주급에 해당하는 고수.

두 사내는 그야말로 가슴이 터질 것 같은 충만감과 기쁨을 느꼈다. 동시에 조금 더 노력하면 당경을 벗어나 노경(老境), 문경(門境)의 경지에 이를지도 모른다고 생각했다.

"내 나이 서른다섯에 이런 기연을 얻을 줄 누가 알았겠나? 포기한 지 오래였던 절정 고수의 기반에 올라설 줄 누가 알았겠나?"

한참 술과 술안주의 이야기로 입맛을 돋우던 두 사내의 대화는 어느새 이날 아침의 기쁨과 감격으로 넘어가 있었다.

동료의 말에 다른 사내가 고개를 끄덕이며 말을 받았다.

"그러니까 말이지. 처음 고 방주의 소개로 화평장에 들어왔을 때만 하더라도 그저 받은 돈만큼만 일하자고 생각했는데…… 내가 이렇게까지 열정적으로 수련할 줄은 꿈에도 몰랐네."

"고용 무사라는 생각을 버리지 못하고 화평장을 떠난 녀석들만 안타까운 게지. 우리처럼 화평장의 문인(門人)이 되었다고 생각하고 수련했다면 그 녀석들도 영약을 복용하고 내공의 고수가 되었을 텐데 말일세."

"이미 떠난 자들에 대해서 이야기할 게 어디 있나? 앞으로 우리가 얼마나 더 높이 올라갈 수 있는지 그것만 생각하기에도 벅차거늘."

"많이는 바라지도 않네. 그저 노경까지만 오르게 된다면…… 그때는 죽어도 여한이 없을 게야."

"허어, 욕심이 없군그래. 나는 이왕 이렇게 된 거 문경까지 노려 보겠네. 그래도 구파일방의 장문인급 정도는 되어야 강호에서 나름대로 인정을…… 으윽."

희망찬 눈빛으로 자신의 원대한 야망을 이야기하던 사내가 문득 헛바람을 집어삼키며 제 가슴을 내려다보았다. 거기에는 어느새 그의 명문혈을 관통하고 가슴까지 툭 튀어나온 검날이 있었다.

"응? 자네……."

동료가 깜짝 놀라며 입을 벌리려는 순간, 역시 어딘가에서 날아들 비수 한 자루가 그의 목덜미를 꿰뚫고 벌린 입 밖으로 튀어나왔다.

피를 줄줄 흘리며 서로를 바라보는 두 사내의 눈이 그 어느 때보다도 커졌다.

믿을 수 없는 일이었다. 이미 일류의 경지를 벗어나 당경의 고수로 인정받은 자신들이 아무런 기척도, 살기도 느끼지 못한 채 이런 암습을 당하다니.

두 사람은 동시에 그런 생각을 하면서 앞으로 꼬꾸라지기 직전, 어딘가에서 손이 뻗어 나와 그들의 신형을 붙잡았다. 그리고 아무런 소리도 나지 않게 천천히 화평장 무사들의 시신을 땅에 눕혔다.

"당경이라……."

신기루처럼 나타나 무사들의 시신을 내려놓은 자는 고개를 갸웃거리며 중얼거렸다.

마침 그 옆으로 두 명의 사내, 명문혈을 관통한 검의 주인과 목젖을 꿰뚫은 비수의 주인이 바람처럼 모습을 드러냈다.

"역시 조심해야겠구나. 경비 무사들조차 당경의 고수들이니 말이지."

피처럼 붉은 피풍의를 걸친 사내들은 낮은 목소리로 대화를 나누기 시작했다.

"그나저나 이렇게 우리들에게 쫓기는 걸 알면서도 잔치를 벌이다니. 그 정도로 한가롭고 태평한 건지, 아니면 그만큼 우리를 무시하는 건지."

"둘 다겠지. 하지만 곧 밤이 될 게고, 그렇게 사위에 어둠이 깔리면 더는 우리를 무시할 수 없게 될 게다. 그리고 잔칫상은 곧 제사상으로 바뀌게 될 게고."

그렇게 유명촌 초입에 서서 그렇게 살기 뚝뚝 떨어지는 대화를 나누고 있던 세 사내의 눈빛이 한순간 일변(一變)

하나 싶더니, 그들의 신형이 거짓말처럼 그 자리에서 사라졌다.

아무 말도 없이, 기척도 없이, 세 사내는 완벽하게 주변 사물에 동화되듯 자취를 감췄다.

바로 그 순간, 유명촌의 외곽 지역, 지대가 높은 언덕에 자리 잡은 건물에서 무언가 빠른 속도로 날아오고 있었다.

화군악이었다.

* * *

한걸음에 유랑 객잔 밖으로 달려 나온 장예추는 곧장 화군악이 사라진 방향으로 몸을 날리려 했다.

그때, 강만리의 묵직한 목소리가 그의 발목을 잡았다.

"가지 않아도 돼."

장예추는 뒤를 돌아보았다. 강만리가 벽에 등을 기댄 채 그를 손짓하며 불렀다.

"이리로 오게."

장예추는 살짝 눈살을 찌푸렸지만 이내 강만리의 곁으로 다가가며 물었다.

"군악은요? 무슨 일이라도 있는 겁니까?"

"아, 뭔가 께름칙한 느낌이 들어서 말이지."

강만리의 말에 장예추가 다급하게 입을 열었다.

"그럼 저도 가 보겠습니다. 혹시라도 누군가 우리를 쫓아온 거라면……."

"군악이 알아서 처리하겠지. 그건 그렇고……."

강만리는 대수롭지 않다는 듯 대꾸한 다음, 다시 고개를 돌려 객잔 뒤편에 모여 있는 유명촌 노인들을 둘러보며 나지막하게 소곤거렸다.

"저 노인네들, 뭔가 수상쩍지 않아?"

"네?"

장예추는 처음으로 유명촌 노인들에게 시선을 돌렸다.

그간 당혜혜와 쌍둥이 아이들에게 모든 정신이 쏠려 있던 참이었다. 그래서 주변 상황이 어찌 돌아가는지, 누가 오가는지, 누가 이 마을에 사는지 전혀 신경 쓰지 못하던 장예추였다.

강만리의 질문을 받고 그제야 비로소 제대로 유명촌 사람들을 살피던 장예추의 눈빛이 한순간 일렁이듯 반짝였다.

그 변화를 눈치챈 강만리가 물었다.

"그렇지? 뭔가 이상하지?"

"그렇군요."

대꾸하는 장예추의 눈가에 살기가 돋기 시작했다.

"움직임이나 자세를 보건대, 아무래도 본모습을 감추

고 있는 자들 같습니다. 설마 은자림의 고수들일까요? 모두 잡아 족치는 게……."

"아서."

강만리가 깜짝 놀라며 그를 말렸다.

"뭐가 그리 성급해? 이건 마치 흥분한 군악을 보는 것 같군. 평소의 그 침착한 예추는 어디 간 거야?"

그랬다. 그 꼬물거리는 쌍둥이를 보고 난 직후였기 때문일까, 무슨 일이 있더라도 자신의 아내와 아들들을 반드시 지키겠다고 결심했기 때문일까. 확실히 지금 장예추는 잔뜩 흥분한 상태였다.

"흥분을 가라앉히고 호흡을 가다듬게. 그놈의 살기도 지우라고. 자네가 똑바로 정신을 차리지 않으면 누가 제수씨와 쌍둥이를 지킬 수 있겠나?"

강만리가 꾸짖듯 말했다.

장예추는 그제야 자신의 호흡이 평소보다 훨씬 짧고 격하게 흐르고 있음을 깨달았다. 그는 이내 호흡을 길게 가져가면서 숨을 고르고 마음을 가라앉혔다. 그의 눈가에 스며들던 살기가 천천히 사라지기 시작했다.

강만리는 그런 장예추의 변화를 지켜보며 입을 열었다.

"나도 그랬지. 아정, 그 녀석이 태어났을 때 세상 모든 걸 가진 기분이면서 동시에 반드시, 어떤 일이 있더라도 이 아이를 지키겠다고 잔뜩 흥분했었거든. 하지만 그렇게 마음이 들뜨고 감정적으로 되다 보니까 외려 이런저런 사고를 많이 치게 되더군. 한마디로 평정심을 잃은 게지."

강만리의 나지막하고 차분한 목소리를 들으며 장예추는 흥분을 가라앉혔다.

어둠이 짙게 깔리면서 객잔 주변 곳곳에 횃불이 밝혀졌다. 돼지와 소를 굽느라 피워진 모닥불도 더욱더 뜨겁고 밝게 타오르고 있었다.

석양(夕陽)의 노을로 타는 듯 붉게 물들었던 광활한 황무지도 천천히 검은빛으로 물들고 있었다. 유명촌의 밤이 찾아온 것이다.

강만리의 말은 계속 이어졌다.

"이 노인네들이 수상쩍기는 하지만 조금만 생각해 보면 살막이나 은자림의 살수가 아니라는 걸 알 수 있을 거야. 내가 아는 한 이들은 최소한 사오 년 전부터 이곳 유명촌에 터를 잡았으니, 설마 우리가 이곳을 찾아올 거라고 그때부터 예측했을 리도 없거니와 그렇다고 이곳이 은자림이나 살막의 본거지일 리도 없으니까."

"으음, 그렇기는 하죠. 죄송합니다. 제가 조금 흥분했나 봅니다."

장예추는 솔직하게 사과했다. 강만리는 천천히 고개를 끄덕이며 말했다.

“군악을 쫓아가려 한 것도 그렇지. 만약 군악이 당해 내지 못할 일이 생긴다면 반드시 연락이 올 거야. 그때까지는 이곳에서 주위를 살피며 기습을 경계하는 게 옳은 일이지. 무작정 너도나도 군악을 뒤쫓으면, 행여 누군가 그 빈틈을 노리고 이곳을 기습했을 때 어떻게 대처하겠나?”

장예추는 입술을 깨물었다.

맞는 말이었다. 그리고 평소의 장예추라면 능히 생각하고 남을 일이기도 했다. 그는 이성을 잃고 흥분한다는 게 얼마나 시야를 좁게 만드는 일인지 새삼 깨달을 수가 있었다.

“누군가 그러더군. 언제나 가슴은 뜨겁게, 머리는 차갑게. 그게 찰나의 승패를 좌우한다고 말이지.”

“유 사부의 말씀이시네요.”

“아, 그래? 난 또 담 형님이 그리 말한 줄 알았지.”

강만리는 유 사부라는 장예추의 말에 살짝 표정이 가라앉았다. 하지만 그는 곧 평소의 그 뚱한 얼굴로 말을 이었다.

“어쨌든 자네는 객잔으로 돌아가게. 그곳에서 자네의 아이들과 우리의 아이들을 지켜 주게. 밖은 나와 군악, 그리고 담 형님이 맡을 테니까.”

“알겠습니다.”

장예추는 그리 말하다가 문득 고개를 갸웃거리며 물었다.

“그나저나 담 형님은 아직 돌아오지 않으셨습니까?”

담우천은 오늘 하루 내내 유명촌에 없었다. 행여 뒤쫓

아오는 적이 있는지 경계하고 살피기 위해서 저 광활한 황무지를 샅샅이 뒤지는 중이었다.

“때가 되면 돌아오겠지.”

강만리는 대수롭지 않게 말했다.

“우리가 걱정하지 않아도 어련히 알아서 잘하실 사람이니까. 천하의 담 형님을 감히 누가 어쩔 수 있겠나?”

“뭐, 그건 그렇죠.”

장예추는 순순히 고개를 끄덕이며 말했다.

“그럼 저는 이 층으로 올라가 보겠습니다.”

“그래. 아, 예예를 보게 되면 이리 좀 와 달라고 전해 주고.”

“알겠습니다.”

장예추는 몸을 돌려 객잔 안으로 들어갔다.

강만리의 뚱한 표정이 동시에 사라졌다. 그는 잔뜩 긴장한 눈빛으로, 어둠이 내려앉은 황량한 황무지를 쓸어보며 소리 없이 중얼거렸다.

“정말 볼수록 기분 나쁜 황무지라니까.”

### 3. 금면구마(金面九魔)

화군악은 이백여 장의 거리를 한달음에 날아와 유명촌

의 초입에 내려섰다.

그곳에 당도한 그가 제일 먼저 인지한 건 피비린내였고, 그 뒤를 이어 느낀 건 허공을 쓸고 사라지는 세 가닥 바람의 기척이었다.

그와는 반대로 당연히 유명촌으로 들어오는 길목을 지키고 있어야 할 경비 무사들의 모습이 보이지 않았다.

화군악은 예리한 눈빛으로 주변을 둘러보다가 저도 모르게 눈살을 찌푸렸다.

구석진 길가에 쓰레기처럼 버려진 두 구의 시신이 있었다. 얼굴을 땅에 처박은 채 포개져 있는 시신들.

화군악은 그 시신들의 얼굴을 확인하지 않아도 이들이 누구인지 알아차렸다. 고굉이 데리고 왔던, 장왕(張旺)과 서일(徐一)이라는 용병 무사들이었다.

'이런.'

화군악은 속으로 한숨을 내쉬며 다가가 시신을 뒤집었다.

역시 그들이었다. 며칠 전 뜻밖의 영약을 복용하게 되자 눈물까지 흘리며 기뻐하던 장왕과 서일이었다.

화군악은 이를 악문 채 다시 주위를 둘러보았다. 다른 인기척은 전혀 없었다. 이들을 죽인 자들은 이미 자리를 뜬 후였다.

조금 전 느꼈던 세 가닥의 바람, 아마도 그게 놈들이 남기고 간 자취였으리라.

'살수들이로군.'

화군악은 내심 중얼거리며 장왕과 서일의 사인을 살피기 시작했다. 장왕의 뒷덜미에서 목 안쪽까지 관통한 것은 비수인 듯했고, 서일의 명문혈을 찌르고 가슴을 꿰뚫은 건 한 자루의 검인 듯했다.

반항이나 몸부림을 친 흔적이 전혀 없는 걸 보면, 놈들의 단 일격에 목숨을 잃은 게 분명했다.

'살수들이다.'

화군악은 재차 속으로 중얼거리며 천천히 자리에서 일어났다. 깊게 가라앉은 그의 눈빛은 한없이 차갑게 반짝이고 있었다.

"살막? 아니면 은자림?"

중얼거리던 화군악은 이내 고개를 홰홰 내저었다.

"아니, 누구든 상관없다. 모조리 죽여 버릴 테니까."

살기가 번들거리는 눈빛으로 주변을 둘러보던 화군악은 길게 휘파람을 불었다.

날카로운 그의 휘파람이 매섭게 울려 퍼졌다. 유명촌 일대는 물론, 이백여 장 떨어진 유랑객잔에 모여 있던 사람들의 귀가 아플 정도로 화군악의 휘파람은 격렬하고 흉포했다.

어둠이 내려앉는 황무지를 지켜보던 강만리는 화군악의 분노 가득한 휘파람에 움찔 놀라며 시선을 돌렸다. 그건 뒷마당에서 잔치 준비에 한창이던 화평장 무사들도 마찬가지였다.

양위가 놀라 달려왔다.

"무슨 일입니까?"

강만리는 유명촌 초입을 주시하며 대답했다.

"누군가 기습을 해 온 모양이오."

양위의 안색이 급변했다. 강만리는 여전히 시선을 고정한 채 말을 이었다.

"누가 초입을 지키고 있었소?"

"장왕과 서일 두 명입니다."

"아무래도 그들이 죽은 모양이구려."

"아……."

양위가 입을 다물지 못했다. 하지만 그는 곧 정신을 차리고 차후 대책을 강구했다.

"잔치 준비를 멈추고 모든 이를 동원하여 주변을 엄중하게 경계하라고 할까요?"

"아니, 그럴 필요까지는 없소. 잔치는 계속 진행하도록 하시오. 군악이 저리 성났으니 경비는 그에게 맡기면 될 것이오."

"하지만 화 장주 한 분으로는……."

"나와 군악이면 충분하오."

강만리는 서늘한 목소리로 말을 이었다.

"이곳은 양 당주가 맡아 주시오. 잔치는 열되, 누구 하나 감히 객잔 안으로 들어서지 못하도록 전력을 다해 경계해 주시오."

양위는 비장한 표정을 지으며 대답했다.

"반드시 그리하겠습니다."

"그럼 한 식경 내로 돌아오리다."

강만리는 그대로 지면을 걷어차고 몸을 날렸다. 밤하늘 높이 날아오른 그의 신형은 거대한 야조(夜鳥)처럼 허공을 날아 유명촌의 초입으로 사라졌다.

양위는 잠시 그 뒷모습을 지켜보다가 수하들을 불러 주변 경계를 철통처럼 하라 지시를 내렸다. 그러고는 조금 전 강만리가 그러했듯이 객잔의 벽에 등을 기댄 채 예리한 시선으로 주변을 쓸어 보았다.

마치 누구라도 객잔에 들어서려면 그의 허락을 받아야 한다는 것처럼, 양위는 바위처럼 단단하고 철벽처럼 견고한 모습으로 객잔 앞에 버티고 서 있었다.

"강 형님."

화군악은 자신의 등 뒤로 날아든 기척을 확인하지도 않고 입을 열었다.

"장왕과 서일이 죽었습니다."

순식간에 초입으로 날아온 강만리는 표표히 지면에 내

려서며 고개를 끄덕였다.

"그럴 것 같았다."

"세 명입니다, 놈들은."

"북방흑제? 아니면……."

"살수들입니다."

화군악은 무미건조한 목소리로 말했다.

"기척을 숨기고 바로 등 뒤까지 접근하여 살기 한 점 내비치지 않은 채 사람을 죽이는 건 역시 살수들의 장기이니까요."

"어느 방향으로 도주했지?"

"저쪽입니다."

화군악은 자신이 주시하고 있는 방향을 가리키며 말했다.

"강씨(姜氏) 삼형제가 경비를 서고 있습니다. 아무래도 놈들은 외곽 경비를 서고 있는 우리 무사들을 하나씩 해치울 생각인 것 같습니다."

화군악이 길게 휘파람은 분 건 크게 세 가지 이유에서였다. 하나는 강만리 등에게 연락을 취함이었고, 다른 하나는 유명촌 일대 외곽을 경비하고 있는 아군에게 경각심을 불러일으키게 함이었다.

그리고 마지막 하나는 아군을 살해하려는 적들에게 보내는 신호였다. 너희들의 행각을 절대 좌시하지 않겠다는 경고의 신호.

강만리가 화군악이 가리키는 방향을 바라보며 말했다.

"그럼 넌 그들에게 가 봐라. 나는 반대쪽으로 돌면서 본대(本隊)의 존재를 확인할 테니까."

은자림이든 살막이든 살수 세 명만으로 기습해 올 리는 없었다. 선발대라 할 수 있는 세 명의 살수를 시작으로 본대가 전후좌우 움직이며 곳곳에서 암살을 시도할 것이 분명했다.

그래서 화군악이 놈들을 뒤쫓지 않은 것이다. 어느 곳에서 본대가 움직일지 모르니까.

강만리는 화군악의 생각을 읽었다는 듯이 그렇게 말했고, 화군악은 강만리의 말을 듣자마자 곧바로 지면을 박차고 허공을 날아 어둠 속으로 사라졌다.

강만리는 그가 사라진 방향과 정반대의 방향으로 몸을 날렸다. 한 줄기 메마른 바람이 밤공기를 가르며 먼지를 일으켰다.

강만리가 날아간 곳에도 세 명의 무사가 경비를 서고 있었다. 횃불도, 모닥불도 밝히지 않은 어두컴컴한 황무지 한복판에서 두 명의 무사가 전면을 주시하고 있었고, 한 명의 사내는 땅바닥에 누워 빈둥거리고 있었다. 그 한가운데로 강만리의 신형이 폭사하듯 떨어져 내려왔다.

"어이쿠! 누구냐!"

땅바닥에 누워 빈둥거리던 사내가 화들짝 놀라며 벌떡 일어나 소리쳤다. 의외로 재빠르고 날렵한 대응이었다.

동시에 전면을 주시하던 두 명의 무사가 빠르게 몸을 돌려 강만리를 향해 칼을 겨눴다.

"나다."

강만리가 무뚝뚝하게 말했다. 두 명의 무사는 안도의 한숨을 내쉬며 칼을 거뒀다. 빈둥거리던 사내도 "아." 하며 멋쩍은 웃음을 내보였다.

"깜짝 놀랐잖습니까, 형님."

그렇게 과장되게 가슴을 쓸어내리는 자는 다름 아닌 고굉이었다.

"경계를 서라 했더니 자고 있었더냐?"

강만리가 매섭게 물었다. 고굉은 헤헤 웃으며 머리를 긁적였다.

"자기는요. 잠시 누워서 차후 계획을 구상하고 있던 참이었습니다."

"차후 계획?"

"네. 그러니까 앞으로 어떻게 오대가문과 맞서 싸워야……."

"그걸 왜 네가 계획하는데?"

"아, 그야 형님께 도움이 되고자……."

"됐다."

강만리는 낯을 찌푸리며 손을 저었다.

"군악의 휘파람 소리를 들었느냐?"

고굉은 어리둥절한 표정을 지으며 말했다.

"네, 들었습니다만……."

"그게 무슨 의미인 줄 아느냐?"

"그야 잔치 준비가 끝났으니 다들 와서 식사하라는, 뭐 그런 의미가 아니었습니까?"

"이런."

강만리는 한숨을 내쉬었다. 그리고 다른 두 무사를 돌아보며 물었다.

"그대들은?"

무사들 중 한 명이 말했다.

"변고가 생겼으니 주변 경계를 확실히 하라는 신호인 걸로 알고 있습니다."

"그래, 정확하다."

강만리가 고개를 끄덕였다. 그러고는 다시 고굉을 노려보며 말했다.

"닷새 전 미리 그렇게 정해 두지 않았더냐? 길게 두 번, 짧게 두 번의 휘파람은 경계를 강화하라는 신호라고 말이다. 그런데 그새 잊어버린 게냐?"

"아, 그게……."

고굉은 난감한 표정을 지었다. 듣고 보니 확실히 그런 것 같기도 했다.

그는 강만리 모르게 두 수하를 노려보았다. 그런 걸 알았으면 미리 이야기해 줘야 하지 않았느냐 하는 눈빛이었다. 고굉과 눈이 마주친 두 수하는 황급히 고개를 숙였다.

그런 눈빛 교환을 모를 리 없는 강만리였다. 그는 고굉의 뒤통수를 후려치며 말했다.

"장왕과 서일이 목숨을 잃었다."

아픔을 느낄 새도 없이 고굉의 눈이 커졌다.

"장왕과 서일이 죽었다고요? 누가요? 누가 그들을 죽였답니까?"

"아직 모른다. 그러니 경비를 철저하게 서라는 게다. 만약 누군가 접근하는 기미나 혹은 기척이 있다면 망설이지 말고 신호를 보내도록. 그리고 맞서 싸울 생각하지 말고 객잔으로 후퇴하도록. 알겠지?"

"존명!"

두 명의 수하가 동시에 대답했다. 반면 고굉은 눈을 부릅뜨며 고개를 저었다.

"아니요. 싸워서 모조리 죽여야지, 후퇴는 무슨 후퇴입니까? 장왕과 서일이 저승에서 욕하겠…… 어이쿠!"

고굉은 비명을 내지르며 뒷머리를 감싸 쥐었다. 또 한 번 고굉의 뒤통수를 후려친 강만리가 혀를 쯧쯧 차며 말했다.

"후퇴가 아니다. 적을 항아리 속으로 끌어들여 일망타

진하겠다는 게다. 다시 한번 말하지만 절대 싸울 생각은 하지 마라. 무조건 후퇴하는 거다."

강만리는 재차 당부한 후 곧장 몸을 날려 다음 경비 무사들이 있는 곳으로 날아갔다.

고굉이 뒤통수를 어루만지며 투덜거렸다.

"젠장, 무식한 놈이 힘만 세서……. 뭘 봐? 경계 철저히 하라는 말 못 들었어?"

고굉이 그렇게 애먼 두 수하에게 화를 낼 때였다.

고굉과 유명촌 초입을 사이로 둔 맞은편에서 경비를 서고 있던 세 명의 무사가 신음을 흘리며 앞으로 꼬꾸라졌다.

그들은 고굉과 달리 화군악의 휘파람을 전해 듣고 잔뜩 긴장하며 경계를 더욱 강화했지만, 살막의 금면을 상대로는 아무런 소용이 없었다.

금면의 살수는 바람과 함께 움직이고, 어둠을 따라 이동했다. 기척은 물론 심장 박동까지 숨길 줄 아는 그들의 접근을, 강씨 삼형제가 알아차릴 리 만무했다.

강씨 삼형제는 자신들의 등 뒤로 은밀하게 다가온 금면 살수들을 전혀 인지하지 못했고, 소리없이 명문혈을 파고드는 검날을 막지 못했다.

결국 사천 일대에서 나름대로 인지도가 있던 강씨 삼형제는 그렇게 허무하게 목숨을 잃었다.

"어린아이 손목 비트는 일보다도 쉬운데?"

"굳이 마신을 부를 필요가 없을 것 같군그래."

"그러니까. 겨우 이 정도 실력들이라면 우리 셋만으로도 모두 죽일 수 있을 것 같네. 오늘 밤이 지나기 전에 말이지."

강씨 삼형제를 해치운 세 명의 금면 살수는 희미한 미소를 지으며 대화를 나눴다.

사실 그들은 살막에서 오마신을 세외하고는 가장 강한 자들이라고 할 수 있는 금면구마(金面九魔)였고, 그 개개인의 능력만으로 구파일방의 장문인 정도는 쉽게 암살할 수 있다고 알려진 최고의 살수들이었다.

즉, 아무리 무공이 늘었다고는 하지만, 또 영약까지 복용했다고는 하지만 화평장의 무사들로는 도저히 감당할 수 없는 살수들임이 분명했다.

"그럼, 계속해서 외곽의 다른 경비 무사들을 해치워 볼까?"

"그래. 느긋하게 하나씩 해치우다 보면 결국 더는 해치울 상대가 남지 않게 될 테니까."

세 명의 금면 살수가 이죽거리며 다시 어둠 속으로 자신들의 자취를 감추려는 순간이었다.

"그렇게는 안 될걸?"

한 줄기 낭랑한 목소리가 그들의 발목을 잡아당겼다.

세 명의 금면 살수는 천천히 몸을 돌렸다.

어느새 나타났는지 화군악이 홀로 우뚝 선 채 씨익 웃고 있었다. 그는 세 명의 살수를 돌아보며 고개를 끄덕였다.

"금빛 가면이라……. 그렇군, 네놈들이 바로 그 금면의 쥐새끼인가 뭔가 하는 놈들이로구나."

세 명의 살수, 핏물처럼 붉은 피풍의를 두르고 금면(金面)의 가면으로 얼굴을 가린 금면구마의 전신에서 살기가 피어오르는 순간이었다.

4장.

# 무림(武林)의 불문율(不文律)

검은 곧 그 검의 주인이 어떤 인물인지를 보여 주는 지표였다.
실력이 없는 자는 좋은 검을 지닐 수 없었다.
우연히 좋은 검을 얻었다 하더라도,
누군가 그보다 강한 자의 탐욕에 의해 검을 빼앗기고
심지어 목숨까지 잃게 되니까.

## 1. 군혼(軍魂)

살막(殺幕)의 주인을 두고 막주(幕主)라 불렀다. '장막 뒤에 숨은 자'라는 비아냥이 있을 만큼 막주에 대해서는 알려진 바가 아무것도 없었다.

막주를 대신하여 살막을 진두지휘하는 다섯 명을 두고 오마신(五魔神)이라 불렀다.

그들은 숫자와 계산에 능하고 계략과 병법에 능통하며, 암살과 무공 모두 뛰어난 실력을 지니고 있었다. 이른바 문무(文武)를 겸비한 절정의 고수들이었다.

반면 금면구마(金面九魔) 혹은 구대살왕(九大殺王)이라 불리는 아홉 명의 살수는, 살막의 그 누구보다도 뛰어난

살인 능력을 지니고 있었다. 실질적으로 살막의 살수를 대표하는 이들이 곧 이들 금면구마였다.

그 아래로 은면삼십육살과 십팔혈면사신, 그리고 철면구십구흉이 있어서 대륙 전역에 포진하여 각각의 임무에 충실했으니, 그 세력과 숫자로 치자면 강호의 어떤 살수조직보다 뛰어나고 막강한 조직이 바로 살막이었다.

서른여섯 자루의 비수를 제 손가락처럼 다룬다고 해서 불리는 별호가 천수비도(千手匕刀)였다.

하지만 상대의 눈에 보이는 건 오직 한 자루의 비수뿐이니, 남은 서른다섯 자루의 비수는 과연 어디에 있는 것일까. 또 언제 나타나는 것일까.

일검휴(一劍休)는 오직 단 한 번의 칼질로 상대의 목숨을 뺏는다고 해서 붙여진 별호였다.

한 번 검을 휘두르면 반드시 상대는 죽고, 그러니 당연히 휴식이 찾아온다는 뜻이었다. 지금껏 그가 두 번 검을 내지른 적은 단 한 번도 없었다.

백도홍도(白刀紅刀)는 오직 한 자루의 칼을 사용한다. 단지 칼을 뽑을 때는 새하얀 도신(刀身)이, 거둬들일 때는 피에 젖어 빨갛게 물들기 때문에 붙여진 별호였다.

그러나 그가 두 자루의 칼을 휘두르는 걸 목격했다는 사람도 있는 걸 보면, 어쩌면 그가 백도(白刀)와 홍도(紅刀)를 번갈아 사용하는지도 모르는 일이었다.

물론 화군악은 지금 자신 앞에 서 있는 세 명의 금면 살수가 각각 천수비도, 일검휴, 백도홍도라는 별호를 지닌 자들인지는 몰랐다.

단지 얼굴을 금빛 가면으로 가리고 있으며 붉은색 피풍의로 전신을 휘감고 있는 거로 보아, 저들이 살막의 금면 구마일 거라고 짐작했을 따름이었다.

금면의 세 살수는 등 뒤에서 느닷없이 화군악이 나타나자 순간적으로 서로 눈빛을 교환했다.

'도망칠까?'

'상대는 한 명인데?'

'하지만 일반 경비 무사와는 수준이 달라 보이잖아?'

'화평장의 다섯 장주 중 한 명인가 보군.'

'다섯 장주 중 한 명이라도 우리 셋이면 충분할 것 같은데?'

'최대한 빨리 해치우고 떠나는 게 좋겠다.'

굳이 전음술을 펼칠 것도 없었다. 서너 살 코흘리개 시절부터 사십 년 가까운 세월을 함께 보낸 그들이었다. 그저 눈빛만으로도 서로의 심중을 파악할 수 있고 의견을 나눌 수 있는 사이가 바로 그들이었다.

한순간의 눈빛 교환만으로 마음을 굳힌 듯 세 명은 천천히 좌우로 움직여 화군악을 품자로 에워쌌다.

화군악이 피식 웃었다.

"해볼 만하다고 생각하나?"

금면 살수들은 아무 말도 하지 않았다. 굳이 쓸데없는 대화를 나누면서 시간을 줄 필요가 없었다. 최대한 빨리 일을 마치고 어둠 속으로 사라지는 게 그들의 목표였으니까.

사위는 더욱더 어두워졌다. 달빛이 교교하게 흐르는 가운데, 유랑객잔 쪽에서 흥겨운 노랫소리가 들려왔다. 아무래도 잔치가 시작된 모양이었다.

화군악은 검을 빼 들었다.

군혼(軍魂)이라는 이름을 가진 검이었다. 담우천의 거궐과 비교해서 절대 떨어지지 않는, 세상에서 몇 자루 되지 않는 전설의 명검(名劍)이었다.

수백 년 전의 검이었지만 여전히 쇠를 베고 바위를 가르기에 충분한 검날이 희미한 달빛에 부딪치며 새파랗게 빛났다.

그 외관은 실로 장중하고 대범했으며, 검신은 단단하고 표면에는 홍채(虹彩)가 은은하게 흐르고 있었다. 언뜻 보더라도 결코 평범한 검이 아닌 듯했다.

그 군혼이 검집에서 빠져나와 모습을 드러낸 순간, 금면 속의 눈빛들이 사뭇 달라졌다.

그들은 하수가 아니었다. 평범한 무림인이 아니었다. 평생을 칼과 검을 닦으며 살아온 자들이었다. 그들은 군혼을 보고 그 검이 지닌 위력을 직감했다. 그들은 더욱 긴장하고 집중하여 군혼을 지켜보았다.

저 검이 절세(絕世)의 보검(寶劍)인 군혼이라는 것까지는 알지 못했지만, 결코 만만찮은 검이 아닌 것만큼은 확신한 그들이었다.

'조심해라.'

세 살수는 서로 눈빛을 교환했다.

검은 곧 그 검의 주인이 어떤 인물인지를 보여 주는 지표였다. 실력이 없는 자는 좋은 검을 지닐 수 없었다. 우연히 좋은 검을 얻었다 하더라도, 누군가 그보다 강한 자의 탐욕에 의해 검을 빼앗기고 심지어 목숨까지 잃게 되니까.

좋은 검은 강자(强者)만이 쥘 수 있었다. 보검은 고수만이 지닐 수 있었다. 신검(神劍) 마검(魔劍) 같은 별칭이 붙은 검들은 초절정의 고수들만이 사용할 수 있었다.

그게 무림의 불문율이었다.

그런 의미에서 봐도, 확실히 화군악은 함부로 경시할 수 없는 상대였다.

그런 화군악의 검을 바라보면서 세 명의 살수도 곧 자신들의 무기를 빼 들었다.

천수비도의 양손에는 두 자루의 비엽도(飛葉刀)가 들려 있었다.

일검휴의 검은 검극(劍極)이 꼬챙이처럼 뾰족해서 찌르기에 최적화된 검임을 단번에 알 수 있었다. 이런 검이라면 사람 몸 하나 정도는 힘들이지 않고도 가볍게 관통시킬 수 있을 듯했다.

백도홍도의 칼은 눈[雪]처럼 새하얀 도신을 지니고 있었다. 말 그대로 순백색의 칼날인지라 피라도 한 방울 묻으면 그야말로 새빨갛게 보일 것 같았다.

화군악은 군혼을 든 채 피식 웃었다.

"장기인 암살을 버리고 정면 승부를 하겠다? 내가 그리 우습게 보이나?"

화군악은 외려 한 걸음 앞으로 내디뎌 저들의 포위망 안으로 파고들었다.

화군악의 도발에도 불구하고 금면의 살수들은 한 치의 미동도 보이지 않았다. 호흡도 변하지 않았다. 명정(明靜)의 사색에 빠진 것처럼 그들의 모습은 한없이 부드럽고 가벼우며 안정되어 있었다.

'살수들도 일정 수준을 넘어서면 강호의 절정 고수와 다를 바가 없다더니…….'

화군악은 금면의 살수들을 경시하지 않았다. 군혼을 앞으로 내미는 동시에 왼손으로는 고요하고 조용하며 은밀한 원을 그리기 시작했다.

살수들은 군혼의 움직임에 모든 신경이 집중되었다. 알

고 있는 세상의 모든 명검들이 떠오르는 가운데, 문득 믿을 수 없는 단어 하나가 그들의 뇌리에 떠올랐다.

'설마.'

세 명의 살수는 거의 동시에 피식 웃으며 고개를 가로저었다.

그럴 리 없었다. 구야자가 말년에 주조했다는 저 전설의 군혼은 어디까지나 전설일 따름이었다. 외양이 장중하고 대범하며 표면에 홍채가 돈다고 해서 무조건 전설의 군혼일 리는 없었다.

'부딪쳐 보면 알겠지!'

세 살수는 일순 눈빛을 교환하고는 동시에 움직였다. 수십 년 동안 손과 발을 맞춰서, 이제는 하나의 영혼이 세 개의 몸을 가지고 움직이듯 들고 나감에 한 치의 오차도 없는 합공이 시작되었다.

비엽도 두 자루가 소리 없이 허공을 날았다. 반드시 피를 본다는 순백색의 칼날이 세찬 바람을 일으키며 화군악을 향해 짓쳐들어오는 가운데, 어느새 화군악의 뒤로 돌아간 일검휴의 검이 정확하게 그의 명문혈을 찌르고 있었다.

불과 반 호흡 만에 일어난 일이었다.

세 방향에서 동시다발적으로 날카롭고 맹렬한 공격이 쏟아졌다. 화군악은 몸을 옆으로 틀어 비엽도를 피하는 동시에 앞으로는 군혼을 뻗어 백도홍도의 칼을 비껴 쳤으며, 조그만 원을 그리고 있던 왼손으로는 등 뒤를 파고들던 꼬챙이처럼 생긴 검날을 낚아챘다.

어느새 손가락 사이에 여덟 자루의 비수를 꺼내 쥔 천수비도가 다시 비수를 내던졌고, 군혼에 튕겨져 나간 백도홍도의 칼은 허공을 한 차례 휘돌고는 재차 화군악의 옆구리를 내리쳤다.

아차 하는 순간 검날이 잡힌 일검휴는 가볍게 검을 비틀어서 화군악의 손가락을 자르려 했다.

그러나 검날을 통해서 전해진 화군악의 힘은 부드러우면서도 강렬하고, 장강의 물결처럼 도도하게 흘러나와서 일검휴가 도저히 감당할 수 없는 위력을 지녔다.

마음대로 검을 움직일 수 없게 된 일검휴의 안색이 일그러졌다. 동시에 쩌엉! 하는 소리와 함께 그의 쇠꼬챙이 검날이 산산조각이 나며 사방으로 흩어졌다.

화군악은 원령혼무보의 보법을 펼쳐서 여덟 자루의 비수를 피하는 동시에 날아드는 백도홍도의 칼을 향해 군혼을 뻗었다.

군혼은 나뭇가지를 타고 오르는 뱀처럼 순식간에 백도홍도의 칼날을 타고 기어오르더니, 그대로 칼자루를 쥔 백도홍도의 손가락을 잘랐다.

백도홍도의 얼굴이 추악하게 일그러지는 순간, 화군악

의 왼손은 어느새 천수비도를 가리키고 있었다. 새롭게 열여섯 자루의 비엽도를 꺼내 들던 천수비도의 표정이 굳어졌다.

화군악의 손가락에서 새하얀빛이 달빛처럼 이는가 싶더니, 한순간 그의 복부에 감당할 수 없는 격통이 느껴졌다.

스팟!

뒤늦게 파공성이 천수비도의 귓전을 파고들었다.

그 모든 움직임은 불과 한 호흡 만의 일이었다.

한 번 꺼내 들면 반드시 피로 얼룩진다는 백도홍도의 칼은 그 화려한 명성과 걸맞게 시뻘건 핏물로 뒤범벅이 되어 있었다.

군혼의 칼날에 닿자마자 순식간에 세 개의 손가락이 잘려 나간 백도홍도는 아슬아슬하게 칼을 놓지 않은 채 화군악을 잡아먹을 듯이 노려보았다.

일검휴의 검은 영원한 휴식을 갖게 되었다. 손잡이만 남기고 산산조각이 난 검은 검이라 부를 수 없었으니까.

감당할 수 없는 내공의 위력에 의해 자신의 애검(愛劍)을 잃은 일검휴는 아직도 믿기지 않는다는 얼굴로 손잡이만 남은 검을 내려다보았다.

열여섯 자루의 비수를 내던지고 두 손으로 복부를 움켜

쥔 천수비도의 안색은 창백해졌다. 손가락 사이로 진한 색의 핏물이 꾸역꾸역 흘러나오고 있었다. 아무래도 내장이 다친 모양이었다. 핏물의 색이 심상치 않았다.

"무당파냐?"

일검휴가 물었다.

검날을 잡은 채 막대한 내공을 불어넣어 검을 파괴하고 검을 쥔 자의 손과 손목, 팔뚝을 파열시키는 무공은 확실히 무당파의 태극회선류(太極回旋流)라는 내가기공과 닮아 있었다.

뒤늦게 세 명의 살수는 조금 전 화군악의 왼손이 미미하게 움직이며 원을 그리고 있었다는 사실을 깨달았다. 다들 군혼의 그 뭉툭하고 둔탁해 보이는 외양에 집중하는 바람에, 그 왼손의 움직임을 미처 주시하지 못했던 것이다.

"군혼인가?"

자신의 손가락을 벤 검을 가리키며 백도홍도가 물었다.

그저 검 끝자락에 살짝 닿았을 뿐이었다. 하지만 검날에서 쏟아져 나온 무형의 예기(銳氣)에 그의 손가락은 두부 잘리듯 싹둑 베어졌다. 마치 검기(劍氣)에 의해 잘려나간 것처럼.

그러나 백도홍도는 잘 알고 있었다. 자신의 손가락을

자른 기운이 내공으로 일으킨 검기가 아니라 검 자체가 발산하는 예기였다는 사실을.

두 살수의 질문을 받은 화군악은 아무 대꾸 없이 천수비도를 바라보았다. 너도 질문한 게 있느냐는 표정이었다.

천수비도는 입을 열지 못했다. 세 살수 중 가장 위중하고 큰 부상을 당한 그였다. 그저 복부 밖으로 삐져나오려는 내장을 억지로 집어넣기에 급급할 따름이었다.

화군악은 가볍게 미소를 지었다. 그러고는 군혼을 고쳐 잡으며 천천히 입을 열었다.

“궁금한 건 염라(閻羅)에게나 물어봐라.”

동시에 그는 검을 휘둘렀다. 군혼이 막대한 경기(勁氣)를 발산하는가 싶더니, 한순간 모든 이의 눈이 멀 정도로 새하얀 섬광이 폭사했다.

태극혜검의 일초가 이 어둡고 광활하며 황량한 황무지에서 펼쳐진 것이었다.

## 2. 새로운 장주(莊主)

번쩍!

새하얀 섬광이 유명촌 초입에서 터졌다.

펑!

뒤를 이어 폭죽이 밤하늘 높이 치솟았고, 유명촌 일대는 붉고 하얀빛으로 가득 찼다.

고기와 술과 음식으로 잔치를 벌이던 유명촌 사람들과 화평장 무사들이 저도 모르게 감탄성을 터뜨릴 정도로 눈부시게 타오른 섬광과 폭죽은 순식간에 제 몸을 불사르고 사라졌다. 섬광과 폭죽으로 환하게 밝혀졌던 주변은 더욱더 깊은 어둠이 내려앉았다.

섬광과 폭죽은 객잔 이 층에서도 환하게 볼 수 있었다. 막 갓난아기들을 재우고 한숨을 돌리던 당혜혜와 장예추의 시선이 창밖으로 향했다.

장예추의 주먹이 저도 모르게 불끈 쥐어졌다.

'이런 젠장!'

장예추의 얼굴이 딱딱하게 굳어졌다.

섬광은 아마도 화군악의 검이 터뜨린 빛이리라.

하지만 저 밤하늘 높이 치솟아 올랐다가 붉은 불꽃을 쏘아 내며 폭발한 폭죽은 아니었다. 그건 화군악에게 당한 자들이 동료들, 본대에게 보내는 긴급 신호임이 분명했다.

'적들이 들이닥칠지 모른다.'

그런 생각이 들자 장예추의 심장이 빠르게 뛰기 시작했다.

누구인지는 모른다. 어쩌면 살막이나 은자림일 수도 있

고, 또 어쩌면 건곤가의 북방흑제 무리들일 수도 있었다.

누구든 곤란하기는 마찬가지였다. 외곽에서 적을 막지 못하여 객잔에 접근하기라도 한다면, 난전이 벌어질 확률이 높고 그 와중에 자칫 아이들과 당혜혜에게 불상사가 발생할 수도 있었으니까.

'하지만…….'

그렇다고 해서 이곳을 비울 수도 없는 노릇이었다. 은자림과 살막의 최고 살수들이라면 언제든지 주변 경계망을 뚫고 이곳까지 잠입할 능력을 지니고 있었다.

만약 그가 외곽에서 적들을 물리치기 위해 자리를 비웠다가 행여 그런 일이 생기기라도 한다면, 자신이 자리를 비운 상황에서 뭔가 일이 발생하기라도 한다면…….

그렇게 장예추의 생각이 계속해서 안 좋은 쪽으로 이어질 때였다. 당혜혜가 그를 향해 낮은 목소리로 말했다.

"가세요."

"응?"

창밖의 상황에 모든 정신이 집중되어 있던 장예추는 그녀의 말을 제대로 듣지 못한 듯 의아한 얼굴로 돌아보았다.

당혜혜가 웃는 낯으로 말했다.

"예서 그리 안달하지 말고 얼른 달려가세요."

"아……."

장예추는 머쓱한 표정으로 말했다.

"하지만 나마저 간다면 이곳은 누가 지키……."

"어머나, 우리를 너무 무시하는 거 아닌가요?"

때마침 나찰염요가 따뜻한 물이 담긴 대야와 수건을 가지고 방으로 들어서다가 피식 웃으며 말했다.

장예추는 자리에서 일어나며 살짝 고개를 숙였다.

"아닙니다. 형수를 무시하거나 그런 건……."

"괜찮아요."

나찰염요는 대야를 침상 아래에 내려놓은 다음 허리를 펴며 말을 이었다.

"강 도련님이 그리 지시했겠죠. 장 도련님은 돌아가서 우리를 지키라고 말이에요."

확실히 나찰염요는 여염집 평범한 여인네가 아니었다. 그녀는 미소를 머금은 채, 하지만 한없이 진지하고 자신감 넘치는 눈빛으로 장예추를 바라보며 말했다.

"괜찮아요. 이곳은 우리가 지킬 테니까. 아이들과 마누라 걱정은 접어 두고 얼른 나가 보세요. 애당초 이곳 객잔까지 놈들이 공격해 들어올 상황을 미연에 방지하는 게 훨씬 더 나은 방법이니까요."

장예추는 고개를 끄덕였다.

그녀의 말이 옳았다. 최대한 객잔에서 멀리 떨어진 곳에서 적들과 싸우는 게, 이곳 객잔을 격전지로 삼는 것보다 열 배는 나은 일이었다.

"그럼……."

장예추는 입을 열다가 문득 생각난 듯 당혜혜를 내려다보며 물었다.

"환빈야연은 남았소?"

당혜혜는 배시시 웃으며 고개를 끄덕였다.

"걱정 마세요. 이 방을 지킬 정도는 있어요."

"알겠소."

장예추는 다시 나찰염요를 돌아보며 두 손을 모았다.

"그럼 잘 부탁합니다."

"그래요. 저도 잘 부탁드릴게요. 놈들이 객잔 근처에는 얼씬도 하지 못하도록 해 주세요."

"그리하겠습니다."

장예추는 서둘러 밖으로 나갔다.

나찰염요는 잠시 귀를 기울여 그가 사라지는 걸 확인한 후 당혜혜를 돌아보며 빙긋 웃었다.

"거짓말쟁이."

당혜혜도 소리 없이 웃으며 말했다.

"착한 거짓말쟁이라고 해 주세요."

"뭐, 그렇다고 해 두지."

나찰염요는 당혜혜를 일으켜 앉혔다. 그러고는 수건에 물을 적셔 그녀의 몸을 닦아 주며 말했다.

"환빈야연, 다 떨어졌다고 했잖아?"

"네. 일전에 사용했던 게 남은 전부였어요. 하지만 너무 걱정하지 않으셔도 돼요. 진짜 이 방만큼은 지킬 수 있는 독물들이 아직 남아 있으니까요."

"그럼 다행이고."

나찰염요는 고개를 끄덕이며 말을 이었다.

"그러나 자네가 독물을 사용할 상황은 만들지 않을 거야. 밖의 무사들, 그리고 나와 예예가 끝까지 지켜 줄 테니까."

"고마워요, 언니."

"고맙기는 뭘. 당연한 일인데."

나찰염요는 당혜혜의 등을 닦아 주며 가볍게 미소를 머금었다.

객잔 밖으로 달려 나가던 장예추가 한순간 걸음을 멈췄다. 그러고는 마당 구석진 곳에서 초목아와 함께 나란히 서서 두런두런 대화를 나누고 있던 담호를 불렀다. 그리고 수문장처럼 객잔 앞에 우뚝 버티고 서 있던 양위도 함께 불렀다.

양위와 담호가 빠르게 다가왔다. 장예추는 담호의 어깨를 붙잡고 낮은 목소리로 말했다.

"부탁한다."

담호는 장예추가 정색하고 말하자 저도 모르게 진지한 표정을 지었다.

“내가 없는 동안에는, 그리고 형님들이 자리를 비운 동안에는 바로 네가 화평장의 주인이 되는 것이다.”

담호는 마른침을 꿀꺽 삼켰다.

“다시 말해서 너는 우리를 대신하여 화평장 모든 식구들의 목숨과 안전을 책임져야 한다는 뜻이다. 그리할 수 있겠느냐?”

아버지가 집을 비운 동안에는 아들, 장남(長男)이 아버지 노릇을 해야 하는 법이다. 그건 동서고금(東西古今)을 막론하고 예로부터 지금까지 이어져 내려오는 장남의 책무였다.

그리고 담호는 화평장의 장남이었다. 당연히 그에게는 담우천과 강만리, 화군악과 장예추를 대신하여 화평장의 식구들을 지킬 책임과 의무가 있었다.

“알겠어요.”

담호가 굳은 결의의 눈빛으로 장예추를 바라보며 힘주어 대답했다.

“조심해라.”

장예추가 재차 주의를 당부했다.

“폭죽으로 인해 언제 어느 곳에서, 어느 누가 이곳을 침범할지 모른다. 그러니 양 당주와 함께 반드시 모든 이들의 안위를 지키도록 해라."

"명심하겠습니다, 장 숙부."

장예추는 가만히 담호의 눈을 들여다보다가 손을 들어 그의 머리를 쓰다듬어 주려 했다. 하지만 다음 순간 그는 황급히 손을 내렸다.

'우리를 대신하여 식구들을 보호하라고 해 놓고는 어린 아이 취급하듯 머리를 쓰다듬는 건 아무래도 아니지.'

그렇게 생각한 장예추는 담호의 어깨를 툭 치며 말했다.

"고생해라."

"조심하세요, 장 숙부도."

담호가 고개를 숙였다. 장예추는 다시 몸을 돌려 양위를 바라보며 말했다.

"방금 들으셨겠지만 우리가 없는 동안에는 이 아이가 화평장의 장주(莊主)인 셈입니다. 부디 최선을 다해 이 아이, 아니 담호를 보필해 주시기 바랍니다."

양위는 힐끗 담호를 보고는 장예추를 향해 허리를 숙이며 대답했다.

"명을 받듭니다."

장예추는 객잔 이 층을 올려다보았다. 불이 환하게 밝혀진 방의 창 저편에서 마침 당혜혜와 나찰염요가 그를 내려다보고 있었다. 시선이 마주치자 당혜혜는 손을 흔들었고 나찰염요는 손을 내저었다.

장예추는 저도 모르게 쓰게 미소를 지었다.

나찰염요의 손짓은 여기 걱정은 그만하고 얼른 가 보라는 의미를 담고 있으리라.

"그럼."

장예추는 짧은 한 마디를 남기고는 곧바로 지면을 걷어찼다.

스팟!

순간 장예추는 허공을 가르는 소리와 함께 옷자락을 펄럭이며 밤하늘을 가르고 유명촌 초입으로 날아갔다. 순식간에 그의 신형이 어둠 저편으로 사라졌다.

잠시 그 광경을 지켜보던 양위가 담호를 돌아보며 가볍게 허리를 숙이고는 매우 정중한 어조로 물었다.

"그럼 잔치를 멈추고 주변 경계를 강화할까요, 소장주(小莊主)?"

소장주라는 단어에 담호의 뺨이 살짝 달아올랐다. 하지만 담호는 이내 정색하며 진지하게 대답했다.

"아뇨. 잔치는 계속해야 해요. 그래야 적이 방심할 테니까요. 더욱 떠들썩하고 흥청망청 노는 모습을 보여 주세요. 하지만 화평장 무사들에게 은밀히 지시를 내려서 술은 이제 마시지 못하게 하고, 절대 긴장을 풀지 말고 상황 추이를 지켜보도록 하시면 될 것 같아요."

양위의 눈이 저도 모르게 휘둥그레졌다. 지금 담호는

의외로 냉정하게 상황을 판단하고 분석하고 있었다. 담호는 계속해서 말을 이어 나갔다.

"특히 불침번을 서는 무사들이 중요합니다. 그러니 장내 무사들 중에서 강한 자들을 선별하여 그들과 자리를 바꾸도록 하는 게 나을 것 같아요."

단숨에 거기까지 말한 담호는 문득 불안한 표정을 지으며 양위를 올려다보았다.

"어떤가요? 지금 제가 생각하기에는 그게 최선인 것 같은데요."

양위는 희미한 미소를 짓다가 이내 진지한 얼굴로 바꾸며 허리를 숙였다.

"최선이자 최고의 대책이라고 생각합니다. 그럼 그리 지시를 내리겠습니다."

담호는 내심 안도의 한숨을 내쉬며 고개를 끄덕였다.

"잘 부탁드려요, 양 숙부."

"안 됩니다. 앞으로는 양 당주라 불러 주십시오."

"하지만……."

"속하 또한 더는 도련님으로 부르지 않을 겁니다."

양위는 허리를 펴고 담호를 똑바로 바라보며 말했다.

"어디까지나 위계질서는 명확해야 합니다. 제가 도련님이라고 부르면 휘하 무사들도 소장주를 소장주라 생각하지 않고 도련님이라고 생각할 겁니다. 또 소장주께서 저를 숙부라 칭하면 저 또한 저도 모르게 귀여운 조카라고 여기게 될 겁니다. 그렇게 되면 명령과 지시의 위엄이 사라지고 아이들 소꿉장난처럼 변하게 됩니다. 가장 중요한 순간에 소장주의 명령과 지시를 따르지 않을 수도 있습니다."

양위의 딱딱한 말에 담호의 표정도 굳어졌다.

"위계질서를 제대로 세우기 위한 첫 번째 방법은 바로 호칭과 어조에 있다고 생각합니다. 휘하의 수하들이 소장주를 존경하고 신뢰하며 충성하느냐 하는 건 그다음 문제입니다. 지금처럼 형세를 제대로 판단하고 형국을 헤아릴 줄 알며 위급한 상황에도 정확하고 제대로 된 지시를 내린다면, 소장주는 우리로부터 존경과 신뢰와 충성 모두를 받을 수 있을 겁니다."

"알겠어요."

담호는 살짝 입술을 깨물었다가 입을 열었다.

"한시적이나마, 그러니까 다른 숙부들께서 돌아오시기 전까지지만 양 숙부가 아닌 양 당주라고 부를게요."

한시적이 아니라 앞으로도 계속 그렇게 부르셔도 됩니다.

양위는 그렇게 말하려다가 목구멍 안으로 집어삼켰다. 지금은 이 정도로도 충분하다는 생각이 든 게다.

결국 시간이 흐르고 때가 되면, 양 숙부가 아닌 양 당주라는 호칭이 더 어울린다는 사실을 잘 알게 될 테니까.

"그럼 명대로 하겠습니다, 소장주."

양위는 두 손을 모으고 허리를 숙여 인사한 후 곧바로 자리를 떴다.

"휴우."

담호는 그제야 길게 한숨을 내쉬며 이마의 땀을 닦았다.

생전 처음 타인에게 명령을 내린 순간이었다. 긴장과 불안, 초조함에 가슴이 두근거리고 다리가 떨리는 건 당연한 일이었다.

과연 내 생각이 옳은 건지, 내 지시가 합당한 건지 혼란스러웠다.

그때 조금 떨어진 곳에서 모든 걸 지켜보고 있던 초목아가 쪼르르 달려왔다.

"무슨 일이야?"

장예추와 담호, 양위의 목소리가 낮은 것도 있었고, 무엇보다 뒷마당에서 시끄럽게 떠들고 노래까지 부르는 바람에 초목아는 그들의 대화를 제대로 듣지 못한 모양이었다.

"아, 아무것도 아냐."

담호는 얼른 표정을 바꿔 싱긋 웃고는 문득 생각났다는 듯 제 이마를 치며 말을 이었다.

"참, 장 숙부가 그러시더라고. 큰엄마가 누나를 찾는다고."

초목아의 고운 눈이 휘둥그레졌다.

"사부께서 나를? 왜?"

"글쎄. 나도 모르지. 가 보면 알게 될 거야."

"왜지? 내가 뭐 잘못했나?"

초목아는 불안한 기색을 감추지 못한 채 서둘러 객잔 안으로 달려갔다.

담호는 그 뒷모습을 지켜보며 속으로 생각했다.

'큰엄마라면 따로 이야기하지 않더라도 내가 왜 누나를 보냈는지 직감하실 거야.'

담호는 나찰염요를 떠올리다가 문득 눈살을 찌푸리며 턱을 매만졌다.

'아니, 이제 엄마보다는 어머님이라 불러야 하나? 큰어머님, 작은어머님. 이렇게?'

담호가 그렇게 소년다운 고민을 하는 동안, 유명촌 일대의 상황은 급변하기 시작했다.

## 3. 나보다 멍청하니까

강하다.

강하다고는 생각했지만 이렇게까지 강할 줄은 몰랐다.

단 일초에 세 명의 금면 살수가 중상을 입는, 그야말로 압도적인 격차가 날 정도로 강할 줄은 전혀 상상하지도 못했다.

사실 이렇게까지는 차이가 나지 않을 전력이기는 했다. 세 명의 금면 살수는 최소한 십여 초 이상은 버티면서 싸울 힘을 지니고 있었다.

그들의 패인(敗因)은 군혼이었다.

군혼의 움직임에 모든 주의를 집중하고 경계하는 바람에, 화군악의 왼손이 은밀하게 태극의 원을 그리고 있다는 사실을 눈치채지 못했다.

그리고 그 왼손에서 태극회선류의 내가기공이, 월령일섬지의 지공(指功)이 연달아 펼쳐질 거라고 예측하지 못한 것이 그들의 패인이었다.

'이대로는 모두 죽는다!'

'젠장, 이곳에 오기 전 미리 연락을 취했어야 하는 건데.'

'후회는 늦다. 지금이라도 구명신폭(救命信爆)을 터뜨려야 한다!'

금면 살수들이 서로 눈짓을 교환할 때였다.

"궁금한 건 염라에게 물어봐라."

화군악이 비릿하게 웃으며 군혼을 휘둘렀다. 무당파 무애봉 정상에서 깨우쳤던 태극혜검의 초식이 거대한 섬광을 일으키며 현란하게 펼쳐졌다.

바로 그 순간, 천수비도는 일검휴의 앞을 가로막았다. 그는 자신의 몸 밖으로 삐져나오던 내장을 포기하고는 두 팔을 앞으로 힘껏 내밀었다. 서른여섯 자루의 비엽도가 화군악의 전신 대혈을 향해 폭사했다.

동시에 백도홍도도 일검휴의 앞으로 뛰어들며 손을 바꿔 칼을 내리그었다.

붉게 물든 그의 칼이 화군악의 정수리에서 가랑이 사이까지, 왼쪽 허벅지에서 오른쪽 어깨까지, 그리고 오른쪽 어깨부터 왼쪽 허벅지까지 한순간에 베었다.

세 개의 서로 다른 초식이 한순간에 펼쳐지는 듯한 광경이었다.

두 동료의 엄호 속에서 일검휴는 자루만 남은 검을 버리고 품 깊숙이 숨겨 두었던 폭죽을 꺼내 어둠으로 물든 밤하늘 높이 쏘아 올렸다.

바로 그때, 천수비도의 두 팔을 자르고 백도홍도의 목을 베며 날아든 화군악의 군혼이 일검휴의 가슴을 찔렀다.

유일하게 별다른 부상을 입지 않았던 일검휴가 황급히 손을 움직여 화군악의 공세를 막으려 했지만 아무 소용이 없었다. 파죽지세의 기세로 무지막지하게 파고든 화군악의 일검에 자신의 갈비뼈가 으스러지고 박살 난 것이다.

일검휴는 피식 웃으며 화군악을 바라보았다.

조금만 기다려라. 너를 지옥으로 보낼 동료들이 올 테니…….

아마도 그 말을 하려고 입을 벌렸을 것이다. 하지만 일검휴의 입에서 튀어나온 건 검붉은 선혈과 내장 부스러기, 그리고 산산이 조각난 심장의 파편들뿐이었다.

"쳇!"

화군악은 혀를 차며 군혼을 떨쳤다.

투투툭!

검날에 묻어 있던 피와 기름, 살점들이 떨어졌다. 그와 동시에 그때까지 억지로 버티고 서 있던 세 명의 살수들이 바닥에 쓰러졌다.

이른바 살수(殺手)의 제왕(帝王), 살왕(殺王)이라 불리는 금면 살수 세 명은 그렇게 비참한 죽음을 맞이했다.

"지독한 놈들이다."

화군악은 군혼을 검집에 넣으며 중얼거렸다.

동료가 폭죽을 쏘아 올릴 시간을 만들어 주기 위해서, 스스로 화군악의 군혼 앞으로 튀어나와 목숨을 바칠 정도로 지독하고 끈질긴 놈들이었다.

거기까지 생각했더라면, 일검휴에게 폭죽이 있었다는 걸 알아차렸더라면 하는 아쉬움이 화군악의 입에서 한숨으로 흘러나왔다.

"쳇. 하지만 어쩔 수 없지. 이왕 이렇게 된 거 오는 족족 죽일 수밖에."

화군악이 그렇게 중얼거릴 때였다. 유랑객잔 쪽에서 한 가닥 신형이 섬전처럼 날아들었다.

"다 끝났는데 날아오다니."

순식간에 허공을 가르고 날아든 신형, 장예추가 표표히 화군악의 앞에 내려섰다. 그는 주위를 둘러보고는 가볍게 눈살을 찌푸리며 말했다.

"폭죽을 쏠 때까지 왜 가만 놔뒀는데?"

처참한 시신으로 남은 세 명의 암살자 모두 금색의 가면을 뒤집어쓰고 있는 걸 확인하고도 장예추는 아무렇지 않게 화군악을 질책하듯 물었다.

화군악도 상대가 금면의 살수라는 걸 강조하지 않았다. 외려 그는 살짝 부끄럽다는 표정을 지으며 사과했다.

"아, 미안. 생각보다 놈들이 끈질기더라고."

"흠, 금면의 살수라……. 살막 놈들이군. 확실히 끈질긴 놈들이기는 하지. 과연 언제쯤 본대가 도착할까?"

"글쎄. 그건 나도 모르지. 일각 후가 될지, 한 시진 후가 될지. 어쨌든 오는 대로 죽이면 되는 일이니까."

"본진에는 마신들도 있어."

"마신이라고 해 봤자 결국 살수 아냐?"

"글쎄. 나도 상대해 보지 않아서 잘은 모르지. 하지만 마신 개인의 능력이 열 명의 금면 살수와 맞먹는다는 소리를 들은 적이 있거든."

"누구에게?"

"옛 사부, 취몽월영에게."

"아."

화군악은 입을 다물었다.

취몽월영은 도둑이었다. 그것도 천하제일의 도둑. 그만큼 아는 것도 많고 경계해야 할 것도 많았다. 그에게 원한을 가진 고관대작들이라면 살막이나 은자림을 동원해서라도 죽이려 들 테니까.

그러니 취몽월영이 살막의 마신에 대해 그런 평가를 내렸다면 그건 한 점 틀림이 없는 사실일 터였다. 화군악의 얼굴이 굳어진 건 바로 그러한 이유에서였다.

'마신 하나가 열 명의 금면 살수와 맞먹는다?'

화군악은 자신이 해치운 세 명의 금면 살수를 내려다보았다. 생각보다 쉽게 그들을 해치웠다고 해서 열 명을 동시에 상대할 수 있느냐 하는 건 또 다른 차원의 문제였다.

어른이 열 명의 아이들을 상대로는 이길 수 있지만 백 명의 아이를 상대로는 버틸 수 없는 것과 같은 이치라 할 수 있었다.

잠시 상념에 빠졌던 화군악은 이내 정신을 차리고 화제를 돌렸다.

"참, 그런데 객잔 경비는 양 당주에게 맡기고 온 거야?"

"아, 담호에게."

"응? 담호에게?"

화군악의 눈이 휘둥그레졌다. 장예추가 차분한 어조로 말했다.

"그 녀석은 우리들의 장남(長男)이니까. 우리를 대신한 자격이 있다고 생각했어."

"오호, 그렇게 생각할 수도 있겠네."

화군악은 고개를 끄덕이며 장예추의 말에 수긍했다. 하지만 곧 고개를 갸웃거리며 물었다.

"잘 해낼 수 있을까?"

"잘할 거야. 양 당주가 옆에 있으니까."

"뭐, 양 당주가 적절하게 조언하고 가르쳐 준다면야……."

화군악이 그렇게 말할 때였다.

어느새 유명촌 외곽 일대를 한 바퀴 돌면서 각 방위(方位)의 경비를 맡은 화평장 무사들을 모두 만나고 온 강만리가 날아들었다.

"섬광은 뭐냐? 폭죽은 뭐고?"

그는 지면에 내려서자마자 다급하게 물었다. 아마 이곳으로 오는 도중에, 혹은 경비 무사들에게 경계를 강화하라는 지시를 내리던 와중에 그 섬광과 폭죽을 본 모양이었다.

강만리가 숨을 헐떡거리며 그렇게 묻자 화군악은 어깨를 으쓱거리며 말했다.

"섬광은 내 검법이었고, 폭죽은 저 녀석들이 필사적으로 터뜨린 겁니다. 자신들의 목숨을 바쳐 가면서까지요."

강만리는 그제야 세 구의 시신이 눈에 들어온 듯, 그리고 자신이 놈들의 핏물로 만들어진 피 웅덩이에 발을 담고 있다는 걸 알아차린 듯 화들짝 놀라며 뒤로 물러났다.

"이자들은?"

"금면의 살수입니다. 살막에서 마신 다음으로 강한 자들이죠."

"흐음, 그렇다고 놈들이 폭죽을 쏘아 올리는 걸 군악 네가 막지 못할 정도로 강해?"

"두 명이 죽음을 각오하고 앞을 가로막더라고요. 그 틈에 나머지 한 녀석이 폭죽을 쏘아 올렸고요. 뭐, 조금 방심한 면이 없지는 않았지만 그래도 어쩔 수 없었습니다."

"흐음."

강만리는 엉덩이를 긁적거리며 시신들을 내려다보다가 문득 생각이 미쳤는지 장예추를 돌아보며 물었다.

"그런데 객잔 일은 어떻게 하고 네가 예까지 온 거냐?"

화군악이 피식 웃었고, 장예추는 난감한 표정을 지었다.

어찌 다들 생각하는 것이, 궁금해하는 것이 다 비슷한 건지 모르겠다.

장예추는 그런 생각을 하면서 화군악에게 설명했던 그대로 강만리에게 말했고, 강만리는 "허어, 벌써 담호가 그럴 때가 되었나?" 하고 중얼거렸다.

화군악이 틈을 놓치지 않고 물었다.

"다른 쪽 경비망은 뚫린 것 같지 않습니까?"

강만리가 대꾸했다.

"다행히도. 다른 쪽은 별다른 일이 없더라. 아마도 이 세 놈이 척후대 정도 되는 모양이다. 그러니 폭죽을 날려 신호를 보낸 것이기도 하겠고."

강만리는 재차 엉덩이를 긁적이며 머리를 굴리다가 불쑥 두 사람을 향해 물었다.

"담 형님이 어디 계시는지 아느냐?"

화군악이 당연하다는 듯이 대답했다.

"형님이 모르시는 걸 우리가 어찌 알겠습니까?"

"하기야."

강만리는 고개를 끄덕이다가 갑자기 허리를 숙여 가장 가까이에 널브러져 있던 시신의 품을 뒤지기 시작했다.

화군악이 눈살을 찌푸리며 물었다.

"뭘 찾으시는데요?"

"글쎄. 나도 모르지."

강만리는 아무렇게나 대꾸하며 또 다른 시신의 품을 뒤졌다.

"뒤지다 보면 뭔가 필요한 걸 찾을지도…… 아, 찾았다!"

강만리는 탄성을 흘리며 또 다른 시신의 품을 뒤졌다. 그 시신의 품에도 강만리가 찾고 있던 물건이 있었다.

강만리가 손에 든 물건들을 확인한 순간, 장예추와 화군악은 동시에 고개를 끄덕이며 중얼거렸다.

"아, 그렇지. 그런 방법이 있겠네."

"왜 나는 그 생각을 미처 하지 못했지?"

"왜 못했냐고?"

강만리는 허리를 일으켜 세우며 웃었다.

"그야 나보다 멍청하니까."

화군악의 입이 한 사발이나 튀어나왔다.

# 5장.
# 밤이 새기 전까지

–목적지는 유명촌.
목표물은 강만리 일당과 화평장의 모든 식구의 몰살.
기한은 이날 밤이 새기 전.

## 1. 이번 임무

일검휴가 쏘아 올린 구명신폭의 폭죽은 근 십여 리 밖에 있던 사람들이 정확하게 볼 수 있을 정도로 강렬한 빛을 내고 사라졌다.

"구명신폭?"

"저쪽이라면 유명촌 방향이 아닌가? 유명촌으로 누가 간 거지?"

"천수비도와 일검휴, 그리고 백도홍도일 걸세."

"으음. 그들 셋이 움직였는데도 구명신폭이라니……. 그렇다면 유명촌에 놈들이 있나 보군그래."

"그렇겠지."

"그럼 사방으로 흩어진 자들을 불러 모으세. 대충 일각 안에 모일 수 있겠군."

"굳이 이리로 모으지 않더라도 다들 저 구명신폭을 보고 저곳으로 달려가지 않을까?"

"물론 그럴 걸세. 구명신폭이 어떤 의미인지 모두들 잘 알고 있으니까. 하지만 각자 따로 행동하는 건 너무 위험하네. 구명신폭이 터졌다는 건 이미 천수비도, 일검휴, 백도홍도가 목숨을 잃었다는 의미. 마음대로 행동하게 놔뒀다가는 자칫 각개격파를 당할 수 있네."

"흠, 그 말이 맞군그래. 그럼 바로 귀조신폭(歸鳥信爆)을 쏘아 올리도록 하세."

살막의 오마신 중 한 사람인 최자는 곧 수하를 불러 지시를 내렸다.

수하는 품에서 폭죽을 꺼내 밤하늘 높이 쏘아 올렸다.

기이하게도 폭죽이 쏘아져 날아오르는 소음은 일반 폭죽과 달랐다. 마치 새들이 우는 듯한, 혹은 휘파람을 부는 듯한 날카롭고 가느다란 소리가 길게 이어졌다.

밤하늘 높은 곳에서 폭죽이 터졌음에도 아무런 섬광이나 폭음이 일지 않은 것 역시 일반 폭죽과 달랐다.

그랬다. 귀조신폭은 애당초 집 나간 새를 돌아오게 만드는, 즉 주변 일대를 수색하는 수하들에게 귀환하라는 지시를 내리는 폭죽이었다.

또 다른 오마신 중의 한 명인 왕야상은 다른 수하를 불러 주변을 철저히 경계하라는 지시를 내렸다. 행여 귀조신폭의 소리를 들은 불청객이 은밀하게 접근할지도 몰랐으니까.

"너무 경계심이 많군."

최자가 말했다.

"이 한밤중에 우연히 이 드넓은 황무지를 헤매다가 우연히 귀조신폭의 소리를 듣고 정확하게 우리의 위치를 파악해서 찾아올 손님이 과연 있을 거라고 생각하나?"

"조심해서 나쁠 건 없지 않나?"

"흠, 그것도 맞는 말이기는 하네."

"언제 은자림과 건곤가 놈들이 우리 뒤를 쫓아올지 모르는 상황이네. 물론 그들이 우리를 노리는 건 아니지만 어쨌든 서로 맞부딪치기라도 한다면 그건 그것대로 고약한 상황이 될 테니까 말일세."

"그렇기는 하지. 저 강만리라는 자의 간계에 속았다고는 하지만 어쨌든 은자림의 살수들을 죽인 전력(前歷)이 있으니까. 강만리 놈들과 싸우기도 전에 자칫 은자림 살수들과 맞닥뜨리면 확실히 곤란하게 되겠지."

두 마신은 그렇게 대화를 나누면서 이 유주의 황무지 일대를 수색하기 위해 본대를 떠난 수하들의 귀환을 기다렸다.

살막은 지금까지 몇 번이나 강만리의 암살에 실패했다. 청부를 포기할 경우 의뢰자에게 배상해야 하는 막대한 금액도 금액이었지만, 무엇보다 살막의 명성과 권위가 급락하는 것이 가장 큰 문제였다.

그래서 이번 임무에는 모든 전력의 절반이라 할 수 있는 대규모 인원을 동원했다. 두 명의 마신, 금면구마, 은면삼십육살, 그리고 오개(五個) 조의 십팔혈면마신이라면 구파일방까지는 아니더라도 어지간한 중소 문파 한둘은 하룻밤 만에 모두 암살할 수 있는 전력이었다.

왕야상은 가늘게 뜬 눈으로, 사방에서 속속 모여들고 있는 수하들을 지켜보았다. 비록 십여 명이 넘는 수하들을 잃었다고는 하지만 아직도 그에게는 백여 명이 넘는 살수들이 존재했다.

'내가 수하를 잃은 건 각개격파를 당했기 때문이다. 모든 인원을 한곳으로 집결하면 결코 쉽게 무너질 전력이 아니다.'

왕야상은 그렇게 생각하며 황무지 수색에 나선 수하들이 모두 귀환하기를 기다렸다.

하지만 귀조신폭을 쏘아 올린 지 일각의 시간이 지나이 각이 가까워졌음에도 불구하고 아직 귀환하지 않은 자들이 있었다. 부관을 시켜 헤아린 결과 약 이십 명, 그러니까 십팔혈면사신 일개 조에 해당하는 숫자가 부족했다.

'설마…….'

왕야상은 입술을 깨물었다.

불길한 생각이 그의 뇌리를 파고들었다. 최자도 느꼈는지 무거운 표정을 지으며 입을 열었다.

"말도 안 되는 생각이 떠올랐네."

왕야상이 한숨처럼 말했다.

"이야기해 보게."

"인근을 수색하던 수하들이 강만리 일당 중 누군가에게 하나둘씩 암살을 당한 건 아닐까 싶네. 아직 돌아오지 않은 아이들이 대체적으로 유명촌 근방을 수색하던 자들이니 말일세. 확실히 말도 안 되는 생각이지 않나?"

최자는 머쓱한 표정을 지으며 말을 이었다.

"스무 명 가까운 자들이 목숨을 잃는 동안 단 한 번도 구명신폭이 터지지 않았거든. 즉, 그들 모두 단 일격에 목숨을 잃었다는 뜻이 되네. 그게 말이 되는 소리인가? 허 참, 비록 내가 말을 하기는 했지만 아무리 생각해도 말도 안 되는 소리인 것 같네. 내뱉지 않은 걸로 하세."

최자가 손사래를 치며 말했다. 왕야상이 딱딱하게 굳은 얼굴로 말을 받았다.

"그럴지도 모르네."

"그렇지? 확실히 말도 안 되는…… 응? 방금 그럴지도 모른다고 했나?"

"금면구마 중 세 사람이 당했네. 일검휴들이 속절없이 당할 정도의 상대라면 혈면은 구명신폭조차 쏘아 올리지 못하고 당할 수도 있네."

"으음…… 말도 안 되는 소리를."

그렇게 중얼거리던 최자는 애당초 그 말도 안 되는 소리를 자신이 꺼냈다는 사실을 떠올리고는 황급히 바보 운운하려던 뒷말을 집어삼켰다.

왕아상이 말을 이어 나갔다.

"어쨌든 주변 경계를 더욱더 철저히 해야겠네. 만약 우리를 암살하고 다니는 자가 있다면, 분명히 귀조신폭의 소리를 들었을 테니까."

왕아상의 말에 최자는 움찔 놀라며 황급히 주위를 둘러보았다.

어둠이 짙게 내려앉은 황무지는 을씨년스러웠고 황량했다. 가끔 불어오는 바람 소리는 마치 원한가득 찬 귀곡성처럼 들려왔다.

유주에는 귀신이 산다, 라는 말이 있었다. 확실히 이곳 황무지는 말로 표현할 수 없는 섬뜩하고도 오싹거리는 귀기(鬼氣)가 흐르고 있었다.

최자는 모골이 송연한 듯 낯빛이 창백해졌다.

원래 그는 절대 사람을 두려워하지 않았다. 자신이 죽이지 못할 사람은 없었고, 자신을 해할 사람 또한 없다고 생각하는 인물이었다.

하지만 귀신은 두려워했다. 정확하게 말하자면 자신의 무공과 힘으로 어찌해 볼 수 없는 상황을 싫어했다. 최자에게 있어서 바로 그게 귀신이었던 것이다.

"더 기다려도 소용이 없을 것 같군."

왕야상의 말에 최자는 퍼뜩 정신을 차렸다. 어느새 귀조신폭이 터진 지 이각이 훌쩍 넘어 있었다. 예서 더 망설이거나 시간을 헛되이 보낼 수 없었다. 자칫 강만리 일행이 유명촌을 떠나 어디론가 종적을 감출 수도 있었다.

"모두들 집중해서 듣도록."

왕야상은 일대에 모인 백여 명의 수하들을 둘러보며 천천히 입을 열었다.

"금면구마 중 일검휴와 백도홍도, 천수비도가 목숨을 잃었다."

일순 차가운 바람이 대지를 훑고 살막의 살수들 머리 위를 스치듯 지나갔다. 살수들은 저마다 깊은 두건을 눌러 써서 그 표정을 확인할 수는 없었지만, 다들 놀라고 황망해하는 기색은 지울 수가 없었다.

"적은 강하다."

왕야상의 말이 계속해서 이어졌다.

"다시 한번 말하지만 우리가 상대하려는 강만리 일당은 확실히 강하다. 지금껏 상대했던 그 어떤 이들보다 강하다. 하지만…….”

왕야상은 차분한 목소리에 힘을 주며 말했다.

“하지만 우리는 더 강하다. 비록 개개인의 능력이 저들에 미치지 못할지는 몰라도, 우리의 압도적인 수와 암살 능력, 그리고 백 명이 하나처럼 움직이는 조직력이라면 반드시 강만리 일당을 몰살할 수 있을 것이다. 혈면은 은면의 지시에 따르고, 은면은 금면의 명령을 받으며, 금면은 나와 최자의 명에 따라 움직인다. 이것 하나만 확실히 한다면 이 밤이 지나기 전에 강만리 일당을 몰살시킬 수 있을 것이다.”

왕야상의 연설이 끝났다.

살막의 백여 살수는 곧 왕야상과 최자의 지시에 따라 은밀하고 신속하게 밤의 황무지를 달려갔다.

-목적지는 유명촌.

목표물은 강만리 일당과 화평장의 모든 식구의 몰살.

기한은 이날 밤이 새기 전.

그게 바로 왕야상과 최자가 살막의 살수들에게 내린 이번 임무(任務)였다.

## 2. 신출귀몰(神出鬼沒)

확실히 살막의 살수는 강했다.

그들은 자신보다 열 배는 강한 무위를 지닌 고수들을 그리 어렵지 않게 암살할 수 있는 능력을 지니고 있었다. 어쨌든 암살에 관한 한 살수는 최고, 최강의 실력을 지니고 있었다.

하지만 살수는 약했다.

살수가 제 실력과 능력을 발휘하는 건 어디까지나 암살에 국한되어 있었다. 암살이 아닌 전면전은 당연히 일반 고수들이 훨씬 강하고 또 능수능란하게 싸웠다.

왕야상이 간과한 점이 바로 그것이었다.

그는 휘하의 살수들이 각개격파를 당하는 게 두려워서 모든 살수들을 한곳으로 집합했고, 다 함께 움직였다.

평소처럼 어둠과 사물을 이용하여 기척과 자취를 숨기고 은밀하게 이동하는 것이 아니라, 대규모 병력을 자랑하듯 일직선으로 황무지를 가르며 달려가고 있었다.

마치 거대한 들소의 무리가 요란한 발굽 소리를 내며, 먼지를 일으키며 황무지를 달리는 것처럼 왕야상과 살막의 살수들은 그렇게 유명촌을 향해 경공술을 펼쳤다.

왕야상과 최자는 살막 최강의 살수답게 한 번 도약할 때마다 삼사 장의 거리를 날았다. 금면의 살수들도 그들

못지않은 경공술을 보여 줬다.

하지만 은면은 그보다 떨어졌으며, 혈면의 살수들은 은면보다도 경공술이 부족했다. 그리고 혈면의 살수 중에서도 실력 차이가 나서 어쩔 수 없이 본대에서 떨어져 나가 후미로 처지는 이들이 생길 수밖에 없었다.

희미한 달빛이 교교하게 내리는 한밤중의 황무지. 세찬 파공성을 일으키며 전력을 다해 질주하는 살수들.

거친 바람 소리와 파공성, 그리고 본대를 뒤쫓는 것에 정신이 팔린 혈면의 살수들은 자신들의 뒤에서 누군가 소리 없이 다가와 제 목을 그을 때까지 전혀 눈치채지 못했다.

귀신처럼, 유령처럼 홀연히 등 뒤에서 나타난 자는 그들의 목을 긋는 동시에 입을 막았다.

목이 잘리면서 터진 신음과 비명은 그들의 입 밖으로 조금도 흘러나오지 못했다. 그리고 놈은 그렇게 목이 반쯤 잘려 목숨을 잃은 살수들을 조심스럽게, 조금의 소리도 나지 않게 땅에 눕히고는 또 다른 목표물을 향해 날아들었다.

그건 마치 한 마리 호랑이가 도망치는 소 떼 뒤를 쫓으며 가장 약한 놈부터 한 마리씩 물어 해치는 것과 같았다.

그자의 움직임은 신출귀몰(神出鬼沒)했다.

경공술은 날렵했으며, 보법은 표홀(飄忽)했다.

한 번의 도약으로 사오 장의 거리를 순식간에 좁혔다. 그렇게 빠르고 강렬하게 움직이는데도 소맷자락 펄럭이는 소리도 나지 않았다.

그자는 살막 본대에서 가장 후미에 있는 살수들을 하나씩, 목을 긋고 땅에 누이고 목을 긋고 땅에 눕히면서 순식간에 십여 명의 살수를 해치웠다.

선두를 달리고 있던 왕야상과 최자는 당연히 그 사실을 전혀 모른 채 오로지 유명촌을 향해 최대한 빠르게 경공술을 펼쳤다. 후미에 몰려 있던 혈면의 살수들은 그들을 뒤쫓기 위해서 악착같이 전력질주하고 있었다.

그래서였다. 자신의 바로 등 뒤에서 동료들이 하나씩 죽어 나가는 것을, 그리고 마침내 그 차례가 자기까지 오게 되었다는 사실을 전혀 눈치채지 못한 것은.

* * *

유명촌 전경이 시야에 들어왔다.

유명촌의 북쪽 외곽 지역에 있는 건물 주변에는 환하게 불이 밝혀져 있었고, 그곳에서 사람들이 왁자지껄 떠드는 소리와 노랫소리가 들려왔다. 고기 굽는 냄새가 위장을 자극할 정도로 진하게 바람에 실려 왔다.

왕야상과 최자는 경공술을 멈추고 수하들에게 신호를 보냈다. 금면의 살수들이 멈췄고 잠시 후 날아든 은면의 살수들이 자세를 낮췄다. 그로부터 약간의 시간이 흐른 뒤 비로소 혈면의 살수들이 속속 등장했다.

"주변 경계가 삼엄하다."

왕야상은 눈을 가늘게 뜨며 중얼거렸다.

지금 그들이 몸을 숨긴 곳에서 유명촌까지는 약 이 리 가량의 거리. 그리고 그 중간 지점에 약 이십여 장 간격으로 서너 명의 무사들이 경계를 서고 있었다.

황무지는 어둡고 황량했다.

비록 몸을 숨길 지형이나 엄폐물은 없었지만, 횃불 한 점 없이 배를 바닥에 딱 대고 엎드려 있으면 그곳에 사람이 있는지 없는지 전혀 알 수 없었다.

경계를 서는 입장에서 보자면 이 황무지 자체가 최적의 은폐물(隱蔽物)이었다.

그러나 그건 반대로 경계를 서는 쪽에서도 침입자들이 기척을 내지 않으면 알아차리기 힘들다는 뜻과 같았다.

즉, 지근거리까지 접근하기 전에는 서로가 서로의 존재를 인지하기 어렵다는 말이었다.

하지만 왕야상은 달랐다. 아무리 어둠 속에 몸을 낮추고 기척을 숨기고 있다 할지라도 결코 그의 눈을 속일 수는 없었다. 왕야상은 일반 사람들은 물론, 내공의 고수들도 볼 수 없는 걸 볼 수 있었다.

일반적으로 고양이나 개, 사슴, 호랑이 등 동물들은 한밤중에 눈에서 빛이 난다. 그러한 발광(發光)은 망막에 있는 특수한 반사막을 통해 어두운 곳에서 효과적으로 사물을 파악하기 위한 것으로, 그들의 생존과 직결되는 능력이었다.

반면 사람의 눈에는 그런 특수한 반사막이 없어서 한밤중에도 눈빛이 빛나지 않는다. 그러나 왕야상은 그 눈빛을 볼 수가 있었다.

비록 사슴이나 호랑이의 발광안(發光眼)처럼 명료하지 않고 흐릿하고 희미한 빛에 불과했지만, 어디를 쳐다보고 있는지, 얼마나 거리가 떨어져 있는지, 그리고 몇 명이 모여 있는지 정도는 충분히 알 수 있었다.

그런 특이한 능력을 지닌 건 왕야상만이 아니었다. 다른 마신들 또한 왕야상처럼 저마다 기이한 능력을 지니고 있었다.

최자의 경우에는 후각이 남달랐다.

다른 사람들보다 몇 십 배, 몇 백 배나 냄새를 잘 맡는 건 물론이거니와 그 냄새를 통해서 상대의 현재 감정과 건강 상태를 알 수가 있었다.

"지루한 모양이군. 입 냄새가 심하게 풍겨 오는 걸 보니 늘어지게 하품을 한 것 같아."

최자가 콧잔등을 찡그리며 투덜거렸다.

"땀 냄새에 긴장감이 묻어나지 않는 걸 보면 우리의 존재를 눈치채지 못한 모양이야."

"다행이군."

왕야상은 약 십오 장 정도 떨어진 곳에서 반짝이는 세 쌍의 눈빛을 지켜보며 소곤거렸다.

"아닌 게 아니라 우리가 아닌 엉뚱한 곳을 지켜보고 있네. 지금이라면 최대한 가까이 접근하여 소리 없이 암살할 수 있겠군."

왕야상은 말을 멈추고 문득 뒤를 돌아보았다. 기다리고 있던 수하들이 모두 도착했는지 확인하고자 함이었다.

수하들을 둘러보던 왕야상이 고개를 갸웃거렸다. 왠지 숫자가 부족해 보인 까닭이었다.

그는 가늘게 눈을 뜨며 중얼거렸다.

"아직도 당도하지 못한 녀석들이 있는 건가? 도대체 평소 몸 관리를 어떻게 했기에……."

중얼거리던 왕야상의 표정이 천천히 변했다. 한순간 바람의 방향이 바뀌었다. 최자 또한 어느새 안색이 딱딱하게 굳어져 있었다.

"피 냄새?"

전면에서 불어오던 바람이 사라지고, 등 뒤에서 불어오기 시작했다.

동시에 희미한, 최자의 극도로 발달한 후각이 아니라면 도저히 눈치채지 못할 정도로 미미한 피 냄새가 그의 등 뒤에서, 수하들이 모여 있는 공간 뒤쪽에서 은은하게 흘러나왔다.

"뭐지?"

최자는 곤혹스러운 표정을 지었다.

"한 사람의 피가 아닌데? 여섯? 일곱? 아니, 족히 열 명은 넘는 사람의 피 냄새가 한데 뒤섞였어."

최자는 저도 모르게 코를 킁킁거리며 말을 이었다.

"쇠붙이 냄새도 나는군. 쇠붙이에 묻은 기름, 사람의 기름 냄새도 풍기고."

왕야상이 잔뜩 굳은 얼굴로 물었다.

"수하들의 칼에 남아 있는 흔적이 아닐까?"

"아닐세. 피 냄새가 신선하고 진하고 따듯해. 조금 전까지 살아 있었던 자의 피 냄새야."

"그렇다면 수하들 칼에 묻은 피는 아니겠군. 적어도 이삼 일 내로 사람을 죽인 적이 없으니까."

"그렇지. 방금 죽인 흔적인 게야. 그것도 십여 명가량이나 되는 자들을."

"그리고 아직 이곳에 당도하지 않은 혈면 녀석들의 수가 대충 그 정도 되는 것 같고."

"그렇다면 이곳으로 달려오는 동안 누군가에게 뒤를

잡혔다는 건가? 앞서 달리는 다른 동료들이 전혀 눈치채지 못할 정도로 은밀하게 죽임을 당했다는 겐가? 우리 말고 그 정도의 암살 능력을 가진 자들이…… 이런."

최자는 빠르게 중얼거리다가 문득 떠올랐다는 듯이 인상을 구겼다.

"젠장. 은자림이로군. 놈들이 우리를 뒤쫓아 온 게로구나."

"아니, 그건 아닌 것 같네."

왕야상이 고개를 저으며 말했다.

"아무리 은자림이라 할지라도 이 정도로 은밀하고 완벽하게 혈면의 살수들을 제압하지 못하네."

"그럼?"

"다시 한번 냄새를 맡아 보게. 그 쇠붙이가 하나인지, 십여 명의 피 냄새가 하나의 쇠붙이에서 풍기는지 말일세."

"그야 아까 말했잖은…… 이런, 그렇다면 지금 단 한 명에 의해 우리 혈면 녀석들 십여 명이 목숨을 잃었다는 겐가?"

"그렇지. 자네는 은자림에 그만한 고수가 있다고 생각하나?"

"그건……."

"우리 뒤꽁무니를 따라다니면서 한 사람씩, 아무도 모르게 무려 열 명이 넘는 자들을 암살한다? 그건 설령 은자림의 현자들이라고 하더라도 절대 엄두조차 내지 못할 일이네."

"그렇다면 도대체 누구란 말인가?"

"그야 모르지. 그나마 다행인 건……."

왕야상은 주위를 둘러보며 천천히 중얼거렸다.

"내게 누구보다 뛰어난 시각이 있다는 걸, 자네에게는 누구보다 뛰어난 후각이 있다는 걸, 그리고 우리가 놈의 존재를 파악하고 있다는 걸 놈은 전혀 모르고 있다는 사실일세."

최자는 왕야상의 말을 들으며 깊게 숨을 들이마셨다.

놈이 이동한 것일까. 등 뒤쪽 바람에 실려 오던 피 냄새를 더는 맡을 수가 없었다. 우측? 좌측? 도대체 어느 방향의 어둠 속으로 자취를 감춘 것일까.

그때였다. 왕야상은 좌측의 어둠 저편을 지그시 바라보며 중얼거렸다.

"그리로 옮겨 간 겐가?"

왕야상이 바라보는 곳, 그 짙은 어둠 속에서 한 쌍의 안광(眼光)이 희미한 살기처럼 흘러나오고 있었다.

## 3. 재미있군

비밀이란 아는 자가 적으면 적을수록 그 위력이 크게

발휘되는 법이었다.

그건 살막의 오마신에게 각각 기이하고 특이한 능력이 있다는 것도 마찬가지였다. 그들 본인들을 제외하고는 그 비밀을 아는 이는 이 세상에서 오직 살막의 막주뿐이었다.

담우천 또한 오마신이 지닌 그 비밀을 알지 못했다. 하지만 그는 바람의 방향이 바뀌자마자 본능적으로, 반사적으로 위험을 직감하고 자리를 이동했다.

'위험하다.'

왜 위험하다는 생각이 들었는지는 모르지만, 어쨌든 담우천은 그 경고를 경시하지 않았다. 바람보다 빠르고 은밀하게 놈들의 우측으로 이동한 그는 머릿속에 떠오른 그 경고가 사라질 때까지 잠시 기척을 지우고 대기하고자 했다.

'재미있군.'

담우천은 문득 희미한 미소를 머금었다. 옛 생각이 절로 났다. 정사대전 당시, 사마외도의 초절정 마두들을 암살하기 위해 만들어진 조직인 사선의 행수 시절이 떠올랐다.

그때도 담우천의 전신은 이런 고양감과 긴장과 흥분으로 가득 차 있었다. 한없이 불안하고 초조한 상황에서 성공하는 암살이라는 건 마약(痲藥)과도 같은 쾌락을 가져다주었다.

사실 일이 이렇게까지 잘 풀릴 거라고는 담우천 본인도 전혀 예상하지 못했다. 어쨌든 황무지는 끝이 보이지 않을 정도로 드넓고 광활했으니까.

그 황무지에서 누군가를 만난다는 건 모래사장에서 헤매던 개미 두 마리가 서로 조우하는 것만큼 힘들고 어려운 일임이 분명했으니까.

하지만 이날의 담우천에게는 행운이 깃들고 있었다.

행여 누군가 화평장 식구들을 뒤쫓아서 유명촌으로 쳐들어올까 봐 미리 경계하는 마음으로 유명촌 일대의 황무지 곳곳을 뒤지고 다니는 동안, 담우천은 무려 다섯 조, 열다섯의 혈면 살수들과 마주쳤고 그들을 모조리 해치우는 전과를 올릴 수 있었다.

어디 그뿐인가.

밤이 찾아오고 사위가 어둠에 잠길 무렵, 더는 살막의 척후조와 마주치지 못한 담우천이 슬슬 유명촌으로 돌아갈까 고민하던 바로 그때였다. 유명촌 쪽에서 난데없이 폭죽 한 발이 쏘아져서 어두운 밤하늘을 환하게 밝혔다.

'살막의 비상 폭죽이구나.'

강호의 일에 해박한 담우천은 그 폭죽을 보자마자 살막의 구명신폭임을 직감했다. 동시에 유명촌으로 달려가려던 그는 황급히 걸음을 멈추고 생각을 바꿨다.

'아니지. 구명신폭을 터뜨렸다는 건 이미 목숨을 잃게 될

상황이라는 의미. 굳이 내가 유명촌으로 갈 필요가 없지.'

담우천은 외려 반대의 방향으로 발길을 돌렸다.

'어딘가에 있을 살막의 본대에서 구명신폭을 못 보았을 리 없다. 보라고 쏘아 올린 폭죽이니까.'

유명촌에서 구명신폭을 발사한 자들은 지금껏 담우천이 마주쳤던 살막의 척후조와 같은 놈들일 것이다.

척후대는 최소한 수십 개의 조로 나뉘어 이 광활한 황무지 곳곳을 뒤지고 다닐 터, 구명신폭을 본 살마의 본대는 곧장 척후대를 불러들여 유명촌으로 달려올 것이다.

'척후대를 불러들이는 신호, 그것만 놓치지 않으면 된다.'

담우천은 그렇게 생각하며 밤하늘 먼 곳까지 샅샅이 훑었다. 그의 예측은 정확하게 맞아떨어졌다.

구명신폭의 불꽃이 사라진 지 얼마 지나지 않아 마치 새들이 우는 듯한, 혹은 휘파람을 부는 듯한 날카롭고 가느다란 소리가 길게 이어졌다.

담우천은 귀를 기울여 그 소리가 들린 방향을 확인하고는 그대로 경공술을 펼쳐 밤하늘을 가르고 날았다. 살막의 본대는 담우천이 날아간 방향에 머물러 있었다.

황무지 곳곳에 흩어졌던 살수들이 속속들이 모여들었다. 이윽고 살막의 본대는 길게 줄을 늘어뜨린 채 유명촌을 향해 질주하기 시작했다.

담우천은 망설이지 않고 그 뒤를 따라 달렸다. 가장 후미에서 달리는 살수 등 뒤로 다가가 목을 긋는 건, 담우천이 가장 잘하는 암살 방법 중 하나였다.

그렇게 십여 명의 살수를 소리 없이 해치웠을 때 살막의 움직임이 멈췄다. 대략 유명촌에서 이 리 정도 떨어진 곳에서 전열을 정비할 요량인 듯했다.

그때만 하더라도 담우천은 여전히 암살을 계속할 생각이었다. 후미로 다가가 뒤쪽의 살수부터 하나씩, 그렇게 천천히 살막의 모든 살수를 죽일 작정이었다.

하지만 한순간 바람의 방향이 바뀌었다. 동시에 담우천은 누군가 자신을 노려보는 듯한, 자신의 존재를 인식한 듯한 기분이 들었다.

담우천은 황급히 후미에서 우측으로 이동했다.

하지만 여전히 자신을 노려보는 시선은 사라지지 않았다. 이 깊은 어둠 속에서 누군가 그의 기척을 놓치지 않고 지켜보는 듯했다.

그 서늘한 기분이, 마치 목에 칼날이 닿은 듯한 아슬아슬한 긴장감이 담우천을 미소를 짓게 했다.

'재미있군.'

역시 재미있는 곳이다, 강호는.

이런 긴장감, 고도의 집중력을 요구하는 아슬아슬한 긴장감은 도박에서도 느낄 수 없었다.

당연한 일이다. 겨우 돈을 거는 도박과 목숨을 건 승부는 애당초 그 긴장의 차원이 다를 수밖에 없었다.

'마신들이겠지.'

어둠에 가려 보이지 않는 저편에서 그를 주시하는 이들은 당연히 살막의 마신들일 게다.

담우천은 살막 오마신의 실력을 인정하고 있었다. 하지만 한편으로는 어떻게 자신의 기척을, 움직임을 알고 있는지 의아하기도 했다.

정사대전 당시 공적십이마나 그에 버금가는 거마(巨魔)들조차 대부분 담우천의 기척을 눈치채지 못했다. 그렇다고 오마신의 무위가 그들을 뛰어넘을 리는 없었다.

'뭔가 모를 능력들이 있나 보군.'

담우천은 지면에 찰싹 배를 대고 엎드린 채 고개만 들어 전면을 살피며 머리를 굴렸다.

'이렇게까지 완벽하게 호흡을 감추고 기척을 숨기는데도 내 위치를 파악했다는 건…… 역시 뭔가 특별한 능력이 있다고 볼 수밖에.'

그 능력을 알기 전에 섣불리 움직이는 건 확실히 위험한 일이었다.

'역시 재미있다니까.'

담우천은 가슴이 두근거렸다.

강호는 넓고 기인이사(奇人異士)는 많았다. 아무리 고

수라 할지라도 한순간의 방심으로 목숨을 잃는 곳이 바로 강호였다. 무적(無敵)의 고수란 애당초 존재하지 않는 곳이 바로 무림이었다.

그리고 역시 은퇴하기에는 아직도 즐길 거리가 많이 남아 있는 곳이 바로 강호 무림이었다.

* * *

"어라? 즐기고 있는데?"

최자가 고개를 갸웃거렸다.

"지금 이 상황이 즐거워서 어쩔 줄 모른다는 냄새가 나. 적절한 흥분과 긴장, 고양감…… 이건 마치 오래간만에 한바탕 제대로 싸울 상대를 만났구나, 하고 말하는 것 같잖아? 도대체 저놈, 누구지?"

"글쎄."

왕야상은 여전히 담우천이 숨어 있는 방향에서 시선을 떼지 않은 채 입을 열었다.

"어쨌든 믿을 수 없군. 우리가 자신의 존재를 알아차린 걸 눈치챈 모양이야. 그런데도 도망치지 않고 저리 숨어 있다니, 아직도 우리를 몰살시킬 자신이 있다는 걸까? 오직 혼자의 힘만으로?"

"아주 우리를 물로 보는구먼."

"뭐, 그런 자신감을 가질 자격은 충분한 것 같네. 어쨌든 지금까지 혼자서 서른 명 가까운 우리 수하들을 암살했으니 말이야."

"서른 명? 그럼 수색 나갔다가 돌아오지 않는 녀석들도 모두 저놈이 죽인 건가?"

"아마도 그렇겠지."

왕야상은 예리한 눈빛으로 주변을 훑으며 말을 이었다.

"그래 봤자 한 명이야. 설령 놈이 천하의 금상철마존이라 할지라도 혼자서 우리 모두를 상대할 수는 없지. 그러니 놈의 동료들이 합세하기 전에, 일시에 전력을 퍼부어 해치우면 될 걸세."

"좋아. 그럼 수하들에게 전음을 보내겠네. 열을 헤아린 후 일제히 공격을 퍼부으라고 말이지."

최자의 입술이 소리 없이 들썩였다. 모여 있는 백여 명의 살수에게 전음을 보내는 것이었다.

바로 그 순간, 왕야상의 표정이 급변했다.

'이런!'

왕야상이 다급한 표정을 지으며 고개를 이리저리 돌려 사방을 두리번거렸다. 왕야상이 주변을 훑어보던 그 짧은 한순간, 그리고 최자가 수하들에게 전음을 보내는 바로 그 순간, 놈의 종적이 온데간데없이 사라진 것이다.

'기습?'

담우천은 직감했다.

최자의 전음을 전해 듣는 순간 살막의 살수들은 무의식적으로 움찔거렸고 긴장했으며 본능적으로 살기와 투기를 흘렸다.

사실 제대로 훈련된 살수들답게 그들이 뿜어낸 살기와 투기는 극히 미미해서, 일반적인 상황이라면 담우천이라 할지라도 전혀 눈치채지 못했을 것이다.

하지만 아무리 미약한 살기와 투기라 하더라도 무려 백여 명이나 되는 살수들이 한꺼번에 흘려낸 것이다. 그 무형의 진동과 파장을 눈치채지 못할 담우천이 아니었다.

그리고 백여 명 살수들의 전신에서 흘러나온 살기와 투기를 느낀 동시에, 담우천은 훌쩍 몸을 날려 살막의 무리로부터 십여 장 밖으로 후퇴했다.

'응?'

담우천이 고개를 갸웃거렸다. 그가 몸을 돌려 십여 장 밖으로 물러나는 순간, 자신을 주시하던 기척이 당황하는 듯했기 때문이었다. 자신의 종적을 놓치고 위치를 잃은 듯한 허둥거림이 전해졌다.

'왜지?'

놈들은 도대체 어떤 것으로 자신의 존재와 위치를 알아차린 것일까.

담우천은 조금 전 몸을 숨긴 채 살막의 살수들을 주시하고 있었던 때와 몸을 돌려 물러나던 때와의 차이를 떠올렸다.

그리고 일순 그의 입가에 한 가닥 새하얀 미소가 그려졌다.

'그렇구나.'

담우천은 바닥에 등을 대고 누운 채 밤하늘을 올려다보며 내심 중얼거렸다.

'내 눈빛을 본 게다, 놈들은.'

담우천은 하마터면 큰 소리를 내며 웃을 뻔했다.

칠흑 같은 어둠 저편에 숨어 있는 상대의 눈빛을 보는 능력이라니.

'그런 능력이 있다면 확실히 이 밤중의 싸움은 절대적으로 유리하겠지. 하지만 그렇다고 해서 과연 나를 잡을 수 있을까?'

담우천은 즐거웠다. 하지만 마냥 즐기기에는 유랑객잔이 너무 가까웠다. 여유를 부리다가 자칫 불똥이 그리로 튈지도 몰랐다.

그 전에 살막의 모든 자들을 해치워야 했다. 약간의 불리함을 안은 채, 이 밤이 새기 전까지.

6장.

# 적의 기습(奇襲)

"우선은 네놈들 셋이구나."
최자는 자신의 앞길을 가로막은 정유들을 향해
씨익, 누런 이를 드러내며 웃었다.
정유도 피식 미소를 지으며 말했다.
"자신만만한 놈이로구나."
"강아지 세 마리 데리고 노는데 무슨 자신만만까지."

적의 기습(奇襲)

## 1. 문외한(門外漢)

왕야상은 당황했다.

주변 어디를 둘러보아도 놈의 눈빛이 보이지 않았다. 눈을 감았을 리도 없고, 땅만 내려다보거나 하늘만 올려다볼 리도 없었다. 그럼에도 불구하고 놈의 눈빛은 거짓말처럼 자취를 감췄다.

'설마…….'

내 능력을 알아차린 걸까?

왕야상은 곧바로 고개를 저었다.

그럴 리 없다. 막주와 다른 마신들을 제외하고는 왕야상의 특이한 능력을 아는 자는 세상에 단 한 명도 없었다.

그렇다고 해서 놈이 이 짧은 시간 안에 왕야상의 능력을 눈치챘다는 건 말도 안 되는 소리였다.

"냄새는?"

왕야상은 최자에게 물었다. 최자는 코로 힘껏 숨을 들이마셨다. 하지만 최자는 이내 곤혹스러운 표정을 지으며 입을 열었다.

"바람이 불어오는 방향에서 벗어난 모양이네. 수하들의 냄새들이 시독해서 놈의 냄새를 맡을 수가 없네."

그건 최자가 가지고 있는 능력의 단점이기도 했다.

사람들이 많으면, 그래서 풍기는 냄새가 너무 많으면 그 뒤섞인 냄새들로 인해 제대로 목표물의 냄새를 찾을 수가 없었다.

닷새 이상 속옷을 빨아 입지 않은, 목욕도 제대로 하지 못한 사내들의 그 쿰쿰하고 고약하며 지독한 냄새들은 놈의 검에서 풍기는 희미한 피 냄새를 쉽게 잡아먹었다.

게다가 바람의 영향권에서 벗어난다면 더더욱 찾기 힘들었다.

어쨌든 냄새라는 건 바람에 상당한 영향을 받기 마련이다. 심지어 호랑이조차도 맞바람이냐, 순풍이냐에 따라서 일 장 거리까지 다가온 사냥꾼들의 존재를 인식하지 못할 정도였으니까.

놈의 흔적을 놓친 왕야상은 결국 자신의 전략을 수정할

수밖에 없었다.

무작정 놈이 움직이기를 기다릴 수는 없었다. 그렇다고 이쪽이 먼저 움직여서 놈을 찾는 것도 마음에 들지 않았다. 자칫 지금처럼 계속해서 각개격파를 당할 수도 있었으니까.

그렇다면 남은 건 오직 한 가지 방법뿐이었다.

왕야상은 힐끗 정면으로 시선을 돌렸다. 불야성(不夜城)처럼 환하게 밝혀진 이 층 건물 주위에서는 여전히 노랫소리와 왁자지껄 웃고 떠드는 소리, 그리고 절로 군침이 돌게 만드는 고기 굽는 냄새가 끊이지 않고 이어졌다.

'양쪽으로 협공을 당하느니 먼저 한쪽을 박살 내는 게 옳은 병법이겠지.'

왕야상은 그렇게 결심했다. 그는 곧 최자를 돌아보며 입을 열었다.

"쥐새끼 한 마리를 두고 골치 썩느니 저기 있는 강만리 일당부터 박살 내세. 우리가 저라로 쳐들어가면 숨어 있던 놈도 다급해져서 모습을 드러낼 터이니 말일세."

최자가 반색했다.

"오호라. 그거 괜찮은 생각이군. 나는 어떻게 놈을 끌어내야 하나 고민하고 있던 참이었는데."

"그럼 수하들에게 지시를 내리게. 열을 헤아린 후, 곧바로 이 앞의 경비 무사들을 해치우고 그대로 직진하여 저 잔치를 벌이고 있는 자들을 몰살하라고 말이야."

"알겠네."

최자는 곧장 금면의 살수들에게 전음을 날렸다. 금면의 살수들은 다시 은면의 살수들에게 전음을 보냈고, 은면의 살수들은 혈면의 살수들에게 지시 사항을 전달했다.

왕아상이 손을 뻗어 손가락 하나를 들었다.

다시 둘, 셋, 손가락의 개수는 늘어났고 빠르게 일곱, 여덟의 수를 헤아렸다. 그리하여 왕아상이 손이 마침내 아홉의 수를 세는 바로 그때였다.

"컥!"

살막의 진영 뒤쪽에서 비명이 터졌다.

낮은 목소리의 신음과도 같은 비명이었지만 지금처럼 조용하고 고즈넉한 한밤중의 황무지에서는 천둥처럼 울려 퍼지는 소리이기도 했다.

객잔과 살막의 본대 사이에서 경계를 서고 있던 화평장 무사들은 그 낮은 비명을 듣고 잔뜩 긴장하여 소리쳤다.

"누구냐?"

동시에 그들은 상비하고 있던 횃대에 불을 밝히고는 비명이 들려온 쪽으로 힘껏 내던졌다. 한 무리의 들쥐 떼처럼 모여 있던 살막의 백여 명의 살수가 허공 높이 날아오른 횃불 아래 그 모습을 드러냈다.

경비 무사들은 깜짝 놀라며 소리쳤다.

"적이다! 적의 기습이다!"

이런.

후미에서 갑작스레 터져 나온 비명에 놀란 왕야상은 마지막 하나 남은 손가락을 꼽지 못한 채 뒤를 돌아보았다. 비명은 연달아 터져 나왔고, 이내 칼부림 소리와 거친 고함과 함성이 뒤섞여 흘러나왔다.

"누구냐?"

"적의 기습이다!"

살막의 살수들은 화평장 경비 무사들과 거의 동시에 비슷한 고함을 지르며 무기를 빼 들고 적을 찾았다.

하지만 짙은 어둠 속, 어디에고 적의 모습은 보이지 않았다. 그 와중에도 곳곳에서 비명과 함성이 터져 나오는 걸 보면 분명 놈은 존재했지만, 좁은 장소에 밀집해 있던 백여 명의 살수가 외려 자신들의 시야를 방해하고 있었다.

그건 왕야상과 최자도 마찬가지였다. 처음 비명이 들리자마자 곧바로 뒤를 돌아보며 암살자를 찾으려 했지만, 그들 또한 이리저리 날뛰는 제 수하들에게 시선을 빼앗겨 좀처럼 놈을 볼 수가 없었다.

"먼저 놈들을 죽이게!"

왕야상은 자신의 앞으로 떨어진 횃불을 짓밟아 끄는 동

시에 최자를 향해 소리쳤다.

최자는 기다렸다는 듯이 앞으로 달려 나갔다. 화평장의 경비 무사들이 자세를 취하고 검을 휘두르려 했지만 최자는 이미 그들의 곁을 스쳐 지나간 후였다.

뒤늦게 세 개의 목이 잘린 채 황무지 바닥에 떨어졌다. 그야말로 전광석화(電光石火)와 같은 일격이었다.

바로 그 순간, 왕야상의 전음이 최자의 귓전을 파고들었다.

—곧바로 객잔까지 달려가게 몰살시키게!

최자는 뒤도 돌아보지 않았다. 그는 수풀 우거진 늪지를 미끄러지듯 헤엄치며 나아가는 물뱀처럼, 갈지자로 움직이며 빠르게 어둠에 잠겨 있는 황무지를 이동했다.

그 이후의 결과를 이미 예상한 것일까. 왕야상은 최자의 움직임을 지켜보는 대신, 독수리 같은 눈빛으로 후방을 훑어보며 적의 존재를 찾으려 했다.

하지만 살수들만이 마구 소리치며 날뛰고 있을 뿐, 놈의 모습은 전혀 보이지 않았다.

그러던 한순간이었다. 차분한 눈길로 그 수습할 수 없는 혼돈과 혼란의 광경을 지켜보던 왕야상이 버럭 소리쳤다.

"서북(西北), 이 장 뒤!"

그가 소리쳐 가리킨 방향, 그곳에 호랑이의 눈빛처럼

샛노랗게 번들거리는 시선이 있었다.

살수들은 왕야상의 명령에 따라 일제히 그곳으로 칼을 휘두르며 덤벼들었다. 어둠 속에서 샛노랗게 반짝이던 눈빛은 이내 살수들의 등에 가려져 보이지 않았다.

비명과 고함, 악다구니가 계속해서 이어지는 가운데, 누구도 적을 해치웠다는 승전보를 올리지 않고 있었다.

초조한 시간이 흐르는 가운데, 왕야상은 저도 모르게 이를 악물었다.

'실수였나?'

살수는 군사(軍士)나 일반 문회방파의 제자들과 그 성격이 전혀 달랐다. 애당초 살수들은 좁은 지역에 모여서 펼치는 집단 전투나 다수로 소수를 상대하는 진법(陣法) 등에 대해서는 문외한이었으니까.

오로지 어둠과 사각(死角), 은폐물 등에 몸을 숨긴 채 은밀히 접근하여 목표물을 암살하는 수련만 해 온 그들을, 이렇게 한곳에 백 명 넘게 모아 둔 것 자체부터가 왕야상의 실수였는지 모른다.

살막의 살수들은 느닷없이 자신들의 배후를 기습한 적을 상대하기 위해서 칼을 휘두르고 검을 내질렀다.

하지만 그때마다 동료들이 그 앞을 가로막거나 혹은 동료들의 움직임에 시야가 분산되어 제대로 무기를 휘두를 수조차 없었다.

반면 적은 민첩하고 교활했다.

그는 백여 마리의 늑대 떼에 홀로 뛰어든 범처럼 이리저리 날뛰며 살수들의 목을 베고 복부를 찌르고 다리의 근육을 잘랐다.

그는 살막의 살수를 죽이는 것에 관심이 없는 듯했다. 오로지 살수들이 쉽게 움직이지 못하게끔 중요 혈맥이나 근육, 신경을 베고 자르는 데 집중할 따름이었다.

하기야 설령 그가 천하제일인일지라도 백여 명이 넘는 살막의 최고 살수들을 모두 해치울 수는 없었다.

가장 좋은 방법은 그들의 몸에 상처를 남기고, 그 상처를 입은 살수들이 제 실력을 발휘하지 못하게 만드는 것이었다. 그것만으로도 충분했다. 뒷일은 자신이 처리하지 않아도 되니까.

* * *

"적의 기습이다!"

유명촌 외각에서 경계를 서고 있던 경비 무사들의 고함이 터졌다. 동시에 어두운 황무지 한쪽에서 횃불이 밝혀지며 허공을 날았다.

유명촌의 언덕 지역에 세워진 유랑객잔 입구에 선 채 쉬지 않고 주변을 훑어보던 담호의 시선이 그곳으로 향했다. 그가 서 있는 유랑객잔에서 약 이 리 정도 떨어진 드넓은 황무지 한쪽에서 횃불이 허공 높이 치솟아 올랐다.

동시에 담호는 눈을 가늘게 뜨고 안력(眼力)을 집중했다. 어두운 허공 높이 솟구친 횃불 아래 수많은 자들이 굶주린 쥐 떼처럼 모여 있는 광경이 담호의 시야에 들어왔다.

하지만 횃불은 곧 누군가에 의해 짓밟혀 꺼졌으며 곧이어 요란한 비명과 고함이 어둠 저편에서 들려왔다.

"적이다!"

담호는 저도 모르게 크게 소리쳤다.

유랑객잔 뒤쪽을 감시하던 양위가 달려오고 설벽린과 정유가 뒤따라 달려왔다. 이 층 복도 창문이 열리더니 만해거사가 훌쩍 몸을 날려 뛰어내렸다.

담호는 횃불이 꺼진 방향을 손으로 가리키며 말했다.

"저곳입니다. 최소한 백 명 이상은 되는 것 같아요!"

당황한 담호의 빠른 어조에 정유가 침착하게 말했다.

"잘 보고 있었구나."

그의 칭찬에도 담호는 발을 구르며 말했다.

"얼른 가 봐야 하지 않겠어요? 잔치를 중단하고 모든 병력을 투입해서 싸워야 해요."

"아니, 나라면 그렇게 하지 않을 것 같은데."

정유가 고개를 저으며 말했다.

"그것보다는 객잔 주변을 더욱 경계하고 경비를 강화하는 걸 추천하겠어. 물론 잔치는 그대로 계속 이어지도록 놔두고."

"네?"

담호는 눈을 휘둥그레 뜨며 정유를 쳐다보았다.

## 2. 일촉즉발(一觸卽發)

"물론 지금 이곳의 책임자는 너라도 들었으니까 네가 어떤 결정을 내려도 우리 모두 그 지시에 따라 움직일 거다. 그러니 내 의견은 단지 조언으로 삼고 결정은 네가 내려라. 군말 없이 따를 테니까."

정유가 미소를 지으며 말했다.

담호는 입술을 깨물며 정면을 주시했다. 횃불이 사라진 황무지 저편에서는 한바탕 싸움이 붙기라도 한 듯 비명과 고함이 쉬지 않고 들려왔다.

그곳에서 이곳 객잔까지의 거리는 불과 이 리, 경공의 고수라면 그야말로 앗 하는 사이에 달려올 수 있는 거리였다. 최대한 빨리 결정을 내려야 했다.

달려가서 놈들과 맞서 싸우느냐, 아니면 놈들이 올 때까지 이곳을 지키느냐.

담호의 머릿속이 혼란한 가운데 문득 한 가지 의문이 떠올랐다.

'만약 저들이 이목을 끌기 위해 거짓으로 난동을 부리고 있는 거라면?'

백여 명의 적 앞에는 불과 세 명의 경비 무사가 경계를 서고 있었다. 모르기는 몰라도 그 세 명의 경비 무사는 이미 목숨을 잃었을 것이다. 아직 살아 있다면 또 다른 횃불이나 약속된 신호를 보내왔을 테니까.

그럼에도 불구하고 여전히 저 어둠 속에서 고함과 비명이 터져 나오는 건 역시 그곳으로 이목이 쏠리고 화평장의 모든 전력을 투입하게 만들려는 계략일지도 몰랐다.

'설 숙부도 그걸 경계하셨겠지.'

담호는 고개를 끄덕이며 말했다.

"양 당주께서는 남아 있는 모든 화평장 무사들과 함께 이곳 객잔 주변을 철통같이 지켜서 적의 기습을 방비하도록 해요."

"명을 받듭니다."

양위가 허리를 숙이며 대답하고는 빠르게 자리를 떴다. 뒷마당 쪽에서 대기하고 있던 무사들, 술과 고기를 먹고 있던 무사들이 양위의 지시에 따라 객잔 주변을 철통처럼 에워쌌다. 그러거나 말거나 유명촌 사람들은 여전히 먹고 마시며 노래를 불렀다.

담호는 계속해서 말을 이어 나갔다.

"만해 할아버지와 정 숙부, 설 숙부는 외곽 경비를 저곳으로 집중하여 적과 대응하도록 해 주세요. 그리고 그들과 함께 저들이 객잔으로 다가오는 걸 막아 주세요."

어려운 지시였다. 상대는 정체를 알 수 없는 백여 명의 군단(軍團)이었고, 반면 외곽에 나가 있는 경비 무사는 채 그 절반도 되지 않았다. 아무리 정유와 만해거사, 설벽린이라 한들 겨우 그만한 인력으로 백여 명의 군단과 맞서는 건 쉬운 일이 아니었다.

하지만 정유와 만해거사, 설벽린은 거침없이 대답했다.

"그렇게 하지."

"명을 받들겠네."

"좋아, 드디어 이 녀석의 진가를 확인할 수 있겠군."

세 사람은 저마다 한마디씩 입에 올리며 빠르게 움직였다.

그들은 곧바로 뒷마당으로 가서 화살에 불을 붙여 왔다. 세 대의 불화살이 연달아 밤하늘을 가로질러 이 리 밖으로 날아갔다.

세 대의 불화살은 곧 적의 기습을 알리는 신호, 외곽을 경비하던 자들이 그 신호를 보고 모두 불화살이 떨어지는 곳으로 몰려들 것이다.

그렇게 밤하늘을 가르고 날아가는 불화살 아래, 어둠에 잠겨 있던 황무지가 환하게 드러났다.

일순 정유의 눈빛이 새파랗게 반짝였다. 황무지를 미끄러지듯 내달리며 객잔을 향해 달려오는 신형을 발견했던 것이다.

"어딜!"

정유가 검을 빼 들고는 곧바로 그 신형을 향해 날아갔다. 만해거사도 그 뒤를 쫓았고, 설벽린 역시 만해거사와 함께 달려갔다. 불화살이 지나쳐간 그곳에는 순식간에 어둠이 뒤덮였다.

담호는 눈을 가늘게 뜨며 소리쳤다.

"횃불을 던지세요!"

객잔 주변을 에워싼 경비 무사들이 담호가 가리키는 방향으로 마구 횃불을 집어 던졌다.

순식간에 이십여 개의 횃불이 허공을 날아 대지 위에 떨어졌고, 그렇게 주변이 밝혀진 공간에는 한 명의 흑의인이 세 사람에게 포위당한 채 우뚝 서 있었다. 객잔과는 불과 이십여 장 거리였다.

담호는 저도 모르게 마른침을 꿀꺽 삼켰다.

때마침 불화살을 날리지 않았더라면, 그 세 대의 불화살이 날아가는 허공 아래에서 미끄러지듯 은밀하게 내달리던 검은 그림자를 발견하지 못했더라면, 하는 생각에 절로 등골에 소름이 돋았다.

'하지만 발견했으니 된 거겠지. 세 분이라면 충분히 막을 수 있을 거야.'

담호는 그렇게 스스로를 안심시키며 양위를 불렀다. 마침 주변 경비를 강화한 양위가 달려왔다, 담호는 낮은 목소리로 말했다.

"기습해 온 이가 저자 한 명이 아닐 수 있습니다. 특히 뒷마당 쪽으로 돌아올 수 있으니 양 당주께서는 그곳을 책임지고 맡아 주세요. 이쪽은 제가 맡고 있을 테니까요."

"그리하겠습니다."

양위는 다시 객잔 뒤쪽으로 돌아갔다.

상황이 급박하게 흘러가고 있었다. 일촉즉발(一觸卽發)의 서늘한 분위기가 객잔 주변을 휘감는 가운데, 유명촌의 사람들은 전혀 그런 기미를 알아차리지 못한 채 여전히 시끌벅적 잔치를 즐기고 있었다.

"우선은 네놈들 셋이구나."

최자는 자신의 앞길을 가로막은 정유들을 향해 씨익, 누런 이를 드러내며 웃었다.

정유도 피식 미소를 지으며 말했다.

"자신만만한 놈이로구나."

"강아지 세 마리 데리고 노는데 무슨 자신만만까지."

최자는 그렇게 말하며 빠르게 상대방들의 무위를 살폈다.

'정면의 청년과 좌측의 노인네부터 해치우는 게 낫겠군. 우측의 기생오라비는 놔두고.'

최자는 우측의 설벽린을 처음부터 무시한 채 입을 열었다.

"그럼 이 어르신이 어떻게 강아지들을 데리고 노는지 보여 주지."

어깨를 으쓱거리며 말을 끝맺은 순간, 최자의 신형이 순식간에 시야에서 사라졌다. 동시에 만해거사의 우측으로 돌아간 최자의 칼이 만해거사의 옆구리를 긋는가 싶더니 이내 방향을 바꿔 정유의 목젖을 찔렀다.

'강하다!'

생각보다 훨씬 빠르고 강렬한 공격에 만해거사와 정유는 흠칫 놀라며 황급히 보법을 밟아 최자의 공격을 피했다.

"어딜!"

최자는 코웃음을 치며 그들의 뒤로 돌아가 양손을 휘둘렀다. 새하얀 검광(劍光)이 번뜩이며 동시에 만해거사와 정유의 등을 그었다.

"쌍검(雙劍)이었구나!"

만해거사가 크게 소리쳤다.

한 자루의 검만 들고 있는 것처럼 보이는 건 최자의 속임수였다.

검을 휘두르는 순간 놀랍게도 보이지 않을 정도로 빠르게 두 개의 검으로 분리되었고, 최자는 그렇게 분리된 두 자루의 검을 양손에 나눠 쥔 채 상대를 공격한 후 다시 한 자루의 검으로 합체했던 것이다.

그 사실을 모르는 상대들은 최자의 김이 한순간에 서너 개의 초식을 연달아 펼치는 걸로 착각했고, 그 바람에 머리가 혼란스럽고 손발이 어지러워져서 제대로 반응을 하지 못하고 자멸하기까지 했다.

하지만 만해거사와 정유는 달랐다.

정유는 자신의 등을 가격하는 검을 피해 옆으로 몸을 회전하며 최자와 마주 섰다. 또한 만해거사는 자신의 몸을 고무처럼 크게 휘게 만들어서 최자의 검을 피했다.

최자는 깜짝 놀라며 소리쳤다.

"유가밀공(瑜伽密功)?"

만해거사가 흐흐, 웃으며 손을 뻗었다. 그의 팔이 고무줄처럼 쭈욱 늘어나며 최자의 목을 잡아 갔다. 동시에 정유도 일직선으로 검을 찔러 갔다. 섬전보다 빠른 쾌검이 최자의 가슴을 파고들었다.

최자는 예상한 것보다 훨씬 더 강한 상대방의 반격에

놀란 표정을 지었으나, 결코 당황하거나 손발이 어지러워지지 않았다. 그는 민첩하게 보법을 밟아 뒤로 물러나며 재차 반격의 기회를 엿보았다.

"음?"

바로 그때였다.

뒤로 물러나던 최자의 얼굴이 일그러졌다. 그는 저도 모르게 옆구리를 내려다보았다. 손가락만 한 크기의 강침(鋼針)이 소리도 없이 그의 옆구리에 박혀 있었다.

최자가 고개를 들었다. 내내 무시하고 있던 기생오라비처럼 생긴 사내, 설벽린이 환하게 웃고 있었다.

"비겁하게시리."

최자가 인상을 찡그리며 말하자 설벽린은 눈을 휘둥그레 뜨며 말했다.

"비겁하기는. 만약 내가 진짜 비겁했다면 그 강침에 독을 발라 두었을 거야."

"그럼 독은 바르지 않았나 보네."

"아니. 독을 발라 두었지. 그러니까 확실히 당신 말대로 내가 진짜 비겁한 놈이기는 하지. 하하하."

설벽린이 유쾌하다는 듯이 낭랑하게 웃었다. 그를 노려보는 최자의 표정에 다급한 기색이 스며들었다.

'젠장, 독이라니…….'

최자는 빠르게 품에서 상비하고 있던 해독약을 꺼내 입

에 넣었다. 비록 만독(萬毒)을 해독해 주는 약은 아니었지만 최대한 독기(毒氣)를 억누르는 효능을 지닌 해독약이었다.

"그걸로 되겠어?"

설벽린이 비웃듯이 말했다.

"솔직하게 말해 줄게. 그 강침에 발라둔 독은 칠보추혼산(七步追魂散)이야."

순간 최자의 얼굴이 추하게 일그러졌다.

'젠장!'

칠보추혼산은 극독 중에서도 극독으로, 일곱 걸음 안에 목숨을 잃는다고 할 정도로 독성이 강한 절독(絕毒)이었다.

그래서였을까. 최자는 갑자기 머리가 핑 돌고 어지러운 듯한 기분을 느꼈다.

'물러나자.'

최자는 빠르게 결정을 내렸다. 그의 눈에 살기가 스며들었다.

'그 전에 저 기생오라비만 죽이고.'

최자는 숨을 크게 들이마셨다. 순간 그의 신형이 신기루처럼 사라졌고, 동시에 설벽린의 목과 가슴을 향해 두 가닥의 새하얀 검광이 짓쳐들어왔다.

미처 방비하고 있다 하더라도 막을 수 없을 정도로 빠

르고 날카로운 기습이었다.

그때였다.

펑!

폭죽이 터져 인근 밤하늘을 환하게 밝혔다. 유명촌 초입 근처에서 누군가 다급하게 쏘아 올린 구명신폭의 폭죽이었다.

## 3. 이기어검(以氣馭劍)

펑!

폭죽 한 방으로 유명촌 주변 밤하늘이 환하게 밝아 왔다. 백여 명의 살막 살수들이 누군지 모르는 적과 싸우느라 마구 날뛰는 모습들이, 정유와 만해거사, 그리고 설벽린에게 포위당한 채 역습을 가하는 최자의 빠른 움직임이 그 붉은 섬광 아래 고스란히 드러났다.

'구명신폭?'

살수들을 지휘하며 담우천의 행적을 살피던 왕야상이 고개를 돌려 폭죽을 쳐다보았다. 한껏 높이 솟구쳤던 폭죽의 섬광은 이내 사라졌고 세상은 다시 어둠으로 뒤덮였다.

폭죽의 불빛이 사방으로 퍼지는 대신, 하늘 높이 솟구

쳐서 사위를 환하게 밝히고는 금세 자취를 감추는 식의 저 폭죽은 확실히 살막의 구명 신호라 할 수 있는 구명신폭만의 특징이었다.

'아직 살아남은 녀석이 있단 말이지?'

왕야상은 그런 생각을 하며 고개를 돌렸다.

백여 명의 수하는 순식간에 종적을 감춘 담우천을 찾는데 혈안이 되어 있었다. 그렇게 서로 마구 날뛰는 상황에 진영이나 진법, 규칙과 배열 따위가 존재할 리 없었다.

힐끗 그 광경을 돌아본 왕야상의 뇌리에 짧은 성어(成語)들이 떠올랐다.

'중구난방(衆口難防), 오합지졸(烏合之卒)…….'

역시 실수였다.

병력을 한곳으로 집중하여 적을 상대하고자 한 의도는 왕야상이 자신의 수하들을 너무 과대평가했기 때문에 나온 실수였다. 그의 수하들은 특급 살수이지, 특급 병사가 아니었다.

그러니 지금이라도 늦지 않았다. 특급 살수들이 가장 잘할 수 있는 임무를 주면 되는 게다.

왕야상은 크게 소리쳤다.

"한 마리 미꾸라지는 놔두고……."

바로 그때였다.

펑!

또 한 발의 구명신폭이 밤하늘을 가르며 높이 솟구쳐 올랐다.

조금 전보다 훨씬 더 가까운 거리에서, 대략 백여 장가량 떨어진 곳에서 쏘아 올린 폭죽이었다. 붉은 섬광이 재차 어둠을 떨치고 사방을 환하게 비췄다.

왕야상의 표정이 급변했다.

'쫓기고 있구나!'

살아남은 수하들이 연달아 폭죽을 쏘아 올리며 이곳으로 달려오는 듯했다. 폭죽이 터진 간격과 그 사이의 거리를 계산하면, 폭죽을 터뜨린 자는 최소한 금면 살수 정도가 되어야만 펼칠 수 있는 경공의 속도로 내달리는 중이었다.

왕야상은 순간적으로 계획을 변경했다.

한 마리 미꾸라지는 놔두고 모두 객잔으로 달려가 그곳의 모든 사람을 암살하라는 게 애당초 그의 지시였다.

그러나 미지(未知)의 적에게 쫓기는 수하, 그것도 금면 살수로 짐작되는 수하들을 외면할 수는 없었다.

순식간에 계획을 수정한 왕야상이 재차 크게 소리를 내질렀다.

"혈면과 은면은 저 건물에 있는 모든 연놈을 몰살하라! 대주(隊主)와 금면은 구명신폭을 쏘아 올린 동료들을 구하라!"

그의 목소리는 어둠이 내려앉은 황무지 전역에 쩌렁쩌렁 울려 퍼졌다.

동시에 백여 살수가 두 패로 갈라졌다. 담우천을 찾던 오륙십 명의 살수는 지면을 박차고 유랑객잔을 향해 물밀듯 달려 나갔다. 또 다른 무리, 이삼십 명의 살수는 좌측, 구명신폭이 터진 방향으로 빠르게 경공술을 펼쳤다.

하지만 왕야상의 지엄한 명령이 떨어졌음에도 불구하고 그 자리에서 움직이지 못하는 자들도 거의 이십여 명 가까이 되었다. 그들은 하나같이 담우천에 의해 다리 근육이 베이고 신경이 잘린 상태였다.

"지독한 놈!"

왕야상이 소리치며 두 눈을 부릅떴다.

사람을 죽이기 위해서는 나름대로의 힘이 필요했다. 뼈를 부수고 살점을 가르고 심장을 꿰뚫으려면 칼은 날카로움을 잃지 않아야 했고, 적절한 힘을 줄 필요가 있었다.

하지만 사람을 베면 벨수록 칼은 무뎌지고 체력의 소모는 가중되는 게 현실이었다.

반면 다리의 근육을 자르고 신경만 베는 건 최소한의 힘만으로도 충분했다. 종아리와 발목의 살갗을 가르고 그 바로 아래 있는 신경과 근육만 자르면, 아무리 무공이 뛰어난 자라 할지라도 쉽게 움직일 수가 없었다.

담우천은 살막의 살수들에게 짧은 시간 동안 가장 큰 피해를 주는 방법이 바로 팔다리의 근맥(筋脈)을 자르고 베는 거라고 판단했다. 놈들을 죽이기 위해 괜한 힘을 소모할 필요가 없다고 생각했다.

그래서 담우천은 어둠을 방패 삼아, 신기루처럼 홀연히 그 자리에서 사라졌다가 다른 곳으로 이동하여 몸을 드러내는 환섬신루(幻閃蜃樓)로 살수들 사이사이를 비집고 돌아다니며 가볍게 거궐을 휘둘렀다.

그가 한 번 거궐을 휘두를 때마다 상대의 팔과 다리에서는 피가 흘렀다. 뼈가 베일 정도로 깊은 상처는 아니었지만 근맥이 잘려 나가기에는 충분한 깊이었다.

불과 열을 헤아릴 정도의 짧은 시간 동안 무려 이십 명 가까운 살수들이 그렇게 팔의 근맥이, 다리의 신경이 잘려 나갔다.

그렇게 손발의 움직임이 자유롭지 못하게 된 살수들은 참혹하게 일그러진 표정을 지은 채 왕야상의 명령에도 불구하고 그 자리를 뜨지 못하고 있었다.

왕야상은 활활 불길이 타오르는 눈길로 놈의 움직임을 좇았다.

이미 팔십여 명이 자리를 뜬 주변 공간은 조금 전, 백여 명의 살수가 빽빽하게 들어섰을 때와 전혀 달랐다. 시야는 뻥 뚫려 있었고, 놈이 숨을 공간은 전혀 없었다.

무엇보다 두 번째 구명신폭이 터지는 순간 왕야상은 똑똑히 볼 수가 있었다. 사십 대 중년인이 우측으로 크게 돌아 시야 밖으로 사라지려고 하는 모습을.

왕야상의 기이한 능력은 놈을 놓치지 않았다.

놈의 신형이 왕야상의 동공(瞳孔)에 각인된 이상 놈은 더 이상 어디에고 숨을 수가 없었다. 한 번 맡은 사람의 냄새는 절대로 잊지 않는 최자의 능력처럼, 왕야상의 두 눈 역시 한 번 본 사람의 얼굴과 체형은 결코 놓치지 않았다.

"더는 도망치지 못할 것이다!"

왕야상은 크게 소리치며 놈을 향해 덤벼들었다.

그가 자신을 향해 덮쳐들자 담우천은 환섬신루를 펼치며 몸을 숨겼다.

순간적인 착시와 사각을 이용하여 시야에서 모습을 감추듯 이동하는 보법이 바로 환섬신루였으며, 악양부에서는 그 수법을 이용하여 홍염철검이나 운룡신창 같은 정파의 노기인들의 공세를 속수무책으로 만든 바 있었다.

그러나 이자는 달랐다.

담우천이 환섬신루를 펼치며 좌측으로 다섯 보를 이동하는 순간, 허공으로 날아들던 왕야상의 신형도 우측으로 선회하며 담우천을 쫓았다.

'오호!'

일순 담우천은 저도 모르게 감탄했다.

놈의 안력은 어둠 속 사람의 눈빛만 볼 수 있는 게 아닌 모양이었다.

여전히 허공 높이 솟구쳐 있는 왕아상과의 거리는 대략 오륙 장, 담우천이 재차 환섬신루를 펼치려는 순간 느닷없이 오륙 장의 간격을 좁히며 허공에서 한 가닥 섬광이 담우천의 정수리를 내리갈겼다.

담우천은 환섬신루를 펼치며 다시 놈의 시야에서 사라졌다.

그러나 이번에도 소용없었다. 한 가닥 섬광은 마치 눈이라도 달린 듯 기이한 궤적을 그리면서 방향을 바꾸고는 계속해서 담우천을 찔러 왔다.

순간 담우천은 저도 모르게 움찔했다.

설마…….

'이기어검(以氣馭劍)?'

말도 안 되는 생각이 그의 뇌리에 떠올랐다. 진기(眞氣)와 의념(意念)을 이용하여 검을 자유자재로 부리는, 검법의 최고 경지라 할 수 있는 수법이 바로 이기어검이었다.

이기어검은 결코 일개 살수 나부랭이가 펼칠 수 있는 검공(劍功)이 아니었다.

담우천은 순간적으로 떠오른 생각을 일축하고는 침착

한 표정으로 둔형장신보의 보법을 밟았다.

정파의 노기인들, 심지어 군림십왕 중 한 명인 무정검왕의 검조차 피해 낸 둔형장신보!

그러나 놈은 담우천의 이동 경로를 뻔히 보고 있는 것처럼, 아니 마치 예측이라도 하듯 조금의 틈도 주지 않고 계속해서 섬광을 휘날렸다.

위잉!

섬광이 기묘하게 궤직을 바꾸면서 허공을 가를 때마다 가슴 섬뜩한 바람 소리가 울었다.

바로 그 소리를 듣는 순간, 담우천의 입가에 희미한 미소가 스며들었다.

'그렇군. 그래, 아무리 살막의 마신이라 할지라도 이기어검을 펼칠 리가 없지.'

담우천은 놈이 휘두르는 섬광의 정체를 파악할 수 있었다. 그리고 그것의 정체를 알게 된 이상, 더는 놈에게 휘둘리지 않을 수 있게 되었다.

새하얀 섬광은 애당초 칼이나 검이 아니었다.

채찍.

그것도 무려 사 장 이상의 길고 매끄러워, 마치 뱀의 혀처럼 자유자재로 움직일 수 있는 채찍이었다.

구명신폭의 발광이 끝난 이후 사위는 다시 칠흑처럼 어두워졌다. 놈은 그 어둠 저편에 몸을 숨긴 채 채찍의 끝자락에 내공을 불어넣어 마치 검광(劍光)처럼 새하얗게 빛나게 만들고는, 자유자재로 채찍을 휘두르면서 담우천의 시야를 속이고 어지럽혔던 것이다.

알고 보면 특별할 것 없는 속임수에 불과했으나, 대부분의 사람들은 그 정체를 알기 전에는 그 채찍의 기기묘묘한 움직임에 이기어검술이라 오해하고 두려워하며 감히 맞서 싸우기를 포기했다.

만약 나찰염요의 무기 또한 기다란 채찍이 아니었더라면 담우천 역시 귓전을 날카롭게 스치며 귀곡성처럼 울어 대는 바람 소리의 정체를 전혀 눈치채지 못했을 것이다.

담우천은 순간적으로 훌쩍 뒤로 몸을 날려 삼 장 가까이 물러났다. 그렇게 채찍의 공격권 내에서 벗어난 담우천은 거궐을 고쳐 쥐며 정면을 주시했다.

사방이 어두운 가운데 딱 검 한 자루만 한 길이의 섬광이 어둠 속에 둥둥 떠 있었다. 확실히 이기어검술이라 오해하고 착각할 만한 상황이었다.

하지만 담우천은 더는 물러나지도, 피하지도 않았다. 그는 차분한 눈빛으로 섬광 뒤에 몸을 숨기고 있는 마신, 왕야상을 바라보며 천천히 입을 열었다.

"확실히 재미있군. 역시 강호는 넓고 별의별 사람들이 다 있다니까."

"그건 내가 할 말이다."

어둠 저편에서 왕야상이 말을 받았다.

"도대체 네놈은 누구냐? 아무리 강호가 넓고 별의별 사람이 다 있다고는 하지만, 이렇게 살막의 살수들을 암살하고 돌아다니는 자는 처음 봤다. 역시 네놈도 살수 출신이더냐?"

담우천은 대답 대신 힐끗 뒤를 돌아보았다.

수십 명의 살수가 유랑객잔을 향해 달려가고 있었다. 그 너머에는 정유와 만해거사, 설벽린이 또 다른 살수와 목숨을 건 결투를 벌이고 있었다.

길게 대화를 나눌 시간은 없었다.

담우천은 다시 정면으로 시선을 돌리며 입을 열었다.

"염라대왕에게나 물어보도록."

담우천은 천천히 거궐을 들어 올렸다. 거궐의 검극이 미미하게 흔들리며 원을 그리기 시작했다.

그가 깨우친 최고의 상승 무공, 일원검(一元劍)의 기수식(起手式)이었다.

7장.

# 철마지존수(鐵魔至尊手)

뒤쪽으로 물러나 있던 설벽린은
두 팔을 들고 이리저리 가리키며 연신 크게 소리치고 있었다.
"쏜다! 팔만사천투수침이 얼마나 무서운지 다들 알고 있을 터,
조금이라도 가까이 오면 바로 쏘겠다! 쏜다니까!"

## 1. 칠보추혼산(七步追魂散)

유명촌 초입 쪽에서 구명신폭이 터지기 직전, 최자의 신형은 신기루처럼 사람들의 시야에서 사라졌다.

동시에 어느새 정유와 만해거사의 포위를 뚫고 설벽린에게 다가간 그는 두 자루의 검으로 설벽린의 목과 가슴을 그었다. 두 가닥의 새하얀 검광이 맹수의 송곳니처럼 번뜩였다.

칠보추혼산에 중독된 상황이었다. 최대한 빠르게 해치우고 자리에서 벗어날 요량이었다. 그런 생각에 자신의 전력을 다한 일격이니만큼 최자의 쌍검은 미처 방비하고 있다 하더라도 막을 수 없을 정도로 빠르고 날카로운 기습이었다.

설벽린은 최자가 어떻게 자신의 앞으로 다가왔는지 전혀 알아차리지 못했다. 그저 느닷없이 눈앞에 시커먼 것이 나타나고 새하얀 섬광이 이는 순간, 설벽린은 사색이 된 채 본능적으로 오른팔을 들어 막기에 급급했다.

'팔로 막는다고 될 것 같더냐?'

최자는 흐릿하게 웃으며 더욱 힘을 주어 쌍검을 휘둘렀다. 두 가닥의 새하얀 섬광이 정확하게 설벽린의 오른팔을 난도질했다.

챙! 챙!

설벽린의 팔이 단숨에 서너 조각으로 잘려 나갈 것 같은 순간, 마치 쇠와 쇠붙이가 서로 부딪치는 듯한 소리가 요란하게 울려 퍼졌다.

양쪽 손아귀에 쇠붙이를 후려친 듯한 반탄력을 느낀 최자는 무슨 일인가 싶어 황급히 쌍검을 거둬들였다. 그는 놀라고 당황한 눈으로 설벽린을 노려보았다.

설벽린은 최자의 막강한 칼질의 위력에 밀려 휘청거리며 뒤로 물러났다. 하지만 놀랍게도 그의 오른팔은 멀쩡했고, 갈기갈기 찢어진 옷 사이로 그의 오른팔의 면모가 확연하게 드러났다.

"역시."

최자가 눈을 가늘게 뜨며 중얼거렸다.

"철수(鐵手)였구나."

쇠로 만든 의수(義手).

확실히 그게 아니라면 어찌 사람의 팔로 자신의 전력을 기울인 칼질을 막을 수 있겠는가.

최자는 코웃음을 쳤다.

"흥! 그깟 철의수(鐵義手) 따위로 내 검을 막을 수 있다고 생각하느냐?"

호승심이 일었는지 최자는 두 손 가득 내공을 일으키며 그렇게 말했다.

하지만 최자는 설벽린을 공격할 수가 없었다. 설벽린이 겁에 질린 듯 뒤로 연거푸 물러났으며, 정유와 만해거사가 동시에 그 자리로 움직이며 최자의 앞을 가로막은 탓이었다.

설벽린은 안도의 한숨을 내쉬며 껄껄 웃었다.

"이제 다섯 걸음 남았다!"

최자가 잠시 잊고 있었던 칠보추혼산에 대한 기억을 깨우치게 하려는 것일까. 설벽린은 크게 소리쳤다.

최자의 얼굴이 흉측하게 일그러졌다.

"비겁한 녀석!"

"이상한데? 독과 암기는 원래 살수들의 전유물이 아닌가? 그렇다면 방금 네놈이 한 말은 그야말로 누워서 침 뱉기가 아닌가?"

입으로는 천하의 누구와 상대해도 질 자신이 없는 설벽린답게 그의 말 한마디, 한마디는 최자의 분노를 일으키기에 충분했다.

설벽린은 계속해서 이죽거렸다.

"슬슬 몸이 달아오르고 심장이 두근거리고 호흡이 가빠지며 머리로 피가 솟구쳐 오르는 듯하지 않느냐? 그게 바로 칠보추혼산의 독효(毒效)이거든."

말을 듣고 보니 그랬다. 슬슬 몸이 달아오르고 심장이 두근거리며 단전 아래가 부푸는 듯 걷기가 힘들어졌다. 최자의 눈빛에 초조한 기색이 스며들었다.

'괜히 저런 말을 하는 건 시간을 끌기 위해서이다. 최대한 빨리 놈을 죽이고 품에서…….'

그는 내심 결의를 다지며 다시 지면을 밟았다. 순간 그의 신형이 흐릿하게 사라졌다.

그때였다.

"한 번 속지, 두 번 속겠느냐?"

만해거사의 창노한 목소리와 함께 그의 쌍장이 오른쪽 허공을 내리쳤다.

펑! 하는 소리와 함께 최자의 모습이 드러났다. 어깻죽지에 일격을 당한 듯 검은 야행복이 찢어지고 맨살이 드러나 있었다.

최자는 당혹스러운 표정이었다. 무영신보(無影迅步)의

보법이 이렇게 간단하게 파훼된 게 도저히 믿기지 않는다는 얼굴이었다.

"소 뒷걸음질에 쥐를 밟는다더니."

아무래도 만해거사의 일격이 요행수라 생각했는지 최자는 다시 보법을 밟았다. 그의 신형이 흐릿해지는 순간, 이번에는 정유가 매서운 어조로 소리쳤다.

"담 형님의 환섬신루에 비하자면 조악하기 그지없는 보법일 뿐이다!"

정유는 그렇게 외치며 아무것도 없는 텅 빈 허공을 향해 일검을 내질렀다.

"어억!"

화들짝 놀라는 소리와 함께 최자가 허공에서 모습을 드러내며 황급히 뒤로 몸을 뺐다. 하마터면 정유의 날카로운 일검에 복부를 찔릴 뻔했다.

만해거사와 정유를 둘러보는 최자의 눈이 커졌다. 움직일 생각조차 하지 못하는 것이, 자신의 무영신보가 전혀 먹히지 않는다는 충격이 생각보다 큰 모양이었다.

거기에 대고 설벽린이 조롱하듯 경고의 목소리를 보냈다.

"이제 두 걸음 남았구나."

최자와 눈이 마주친 설벽린은 제풀에 놀라 뒤로 두어 걸음 물러나면서도 여전히 활달하게 소리쳤다.

"슬슬 독에 마비가 되는 듯한 기분이 들지? 네놈의 보법이 왜 먹히지 않는 줄 아느냐? 바로 칠보추혼산 때문이다! 칠보추혼산의 독성이 네 혈맥과 기맥을 갉아먹으면서, 평소의 네 보법보다 느려지게 된 거다. 반응이나 움직임 역시 현저하게 둔해진 거고."

'그런가? 하기야 그런 이유가 아니라면 내 무영신보가 먹히지 않을 리가 없기는 하다.'

최자의 표정이 깊게 가라앉았다.

비록 상비하고 있던 해독약으로 칠보추혼산의 독성을 어느 정도 억누르고 있다고는 하지만 어디까지나 임시처방에 불과했다.

칠보추혼산 정도 되는 극독은 반드시 그 독성을 제대로 해독할 수 있는 약을 복용해야 했다. 그리고 그 정도 해독 능력을 지닌 약은 살막의 본산에 있었다. 아니면 저 입만 나불거리는 기생오라비의 품 안이나.

'무릇 독을 쓰는 자는 반드시 그 독의 해독약을 지니고 있다. 자칫 자신의 독에 자신이 중독되어 죽는 불상사를 막기 위해서 말이지.'

최자가 굳이 만해거사와 정유를 뒤로하고 설벽린만 공격하는 건 그가 셋 중 가장 약하기도 하거니와 그의 품속에 칠보추혼산의 해독약이 있을 거라는 생각 때문이었다.

'놈은 두 걸음 운운하며 겁을 주려 하지만, 어찌 되었건 해독약을 먹었으니 최소한 열 걸음 이상은 움직일 수 있을 것이다. 그 안에 놈을 죽이고 품을 뒤져 해독약을 찾아야 한다.'

갈수록 최자의 마음이 급해졌다. 게다가 상황은 좋지 않게 변하고 있었다.

세 사람과 몇 차례 공방이 오가는 동안, 밤하늘 한쪽에서는 두 개의 구명신폭이 연달아 터졌다. 수색을 나갔던 수하들 중 누군가가 도움을 요청하는 것이었다.

그들을 돕기 위해서는 역시 최대한 빨리 기생오라비의 품에서 해독약을 찾아야 했다.

최자는 천천히 호흡을 가다듬으며 한껏 숨을 들이마셨다. 그의 단전에 가득 차 있던 내공이 들이마신 숨과 부딪치면서 순간적으로 폭발했다. 그 가공할 폭발의 위력은 최자의 발아래에서 터졌다.

쾅!

최자의 두 발이 폭발하듯 지면을 박차며 공간을 일직선으로 가르며 만해거사와 정유의 사이를 뚫었다.

"이런!"

"어딜!"

만해거사와 정유는 그 폭발적인 속도에 깜짝 놀라며 황급히 손을 뻗고 검을 날렸지만, 이미 최자는 그들의 사이를 스쳐 지나가 단번에 설벽린의 가슴팍까지 다가섰다.

"안 돼! 오지 마!"

설벽린이 사색이 된 채 손사래를 치며 황급히 뒤로 물러났다.

"우리를 무시하는 거냐?"

동시에 만해거사와 정유가 최자의 등을 향해 장력을 날리고 검을 뿌렸다.

최자가 황급히 몸을 틀며 소리쳤다.

"네깟 놈들이 무서워서 피하는 줄 아느냐? 이놈 먼저 죽인 후 네놈들도 손봐 줄 터이지 조금만 기다려라!"

최자는 전력을 다해 무영신보를 밟으며 등 뒤의 공격을 피하는 동시에 설벽린의 코앞까지 따라붙었다. 겁에 질린 설벽린의 동공이 최자의 시야 가득 들어왔다.

'넌 죽었다.'

쌍검을 휘두르기 위해 양손을 든 최자의 입가에 희미한 미소가 새겨지는 순간, 동시에 설벽린의 입가에도 미소가 떠올랐다.

'응?'

당연히 겁에 질려 울상을 지어야 할 상대가 미소를 머금자 최자는 저도 모르게 움찔하며 주춤거렸다.

그때였다.

황급히 손사래를 치던 설벽린의 오른팔에서 눈에 보이

지도 않을 정도로 미세한 세침(細針) 수백, 수천 개가 쏟아지더니 그대로 최자의 전신 요혈을 향해 날아들었다.

'응?'

최자는 황급히 쌍검을 휘두르며 막으려 했지만 소용이 없었다. 세침의 수는 너무 많았으며, 또한 설벽린과의 거리가 너무 가까웠다.

수천 마리의 벌떼가 윙윙거리는 듯한 기이한 소리와 함께 최자의 몸으로 수백 수천 개의 세침이 파고들었다.

팔과 다리, 허벅지, 가슴, 심지어 눈과 코는 물론 "헉!" 하며 헛바람을 집어삼키느라 벌린 입안까지 세침이 깊숙하게 찔러 왔다.

"젠장!"

최자는 거친 고함을 터뜨리며 설벽린을 향해 쌍검을 높이 들었다. 하지만 최자는 쌍검을 높이 든 채 더는 움직이지 못했다. 마치 그 자세 그대로 전신이 굳어 버린 듯했다.

최자의 몸속을 파고든 세침들은 혈맥을 따라 순식간에 이동하여 그의 심장을 찔렀고, 기맥에 구멍을 냈으며, 근맥과 신경에 박혀 제대로 움직이지 못하게 만들었던 것이다.

정유와 만해거사는 그 틈을 놓치지 않았다. 정유의 검이 최자의 명문혈을 찔렀다. 동시에 만해거사의 손이 그의 정수리를 내리쳤다.

최자는 두 눈을 부릅뜬 채 설벽린을 노려보다가 양손을 높이 든 자세 그대로 허물어지듯 앞으로 쓰러졌다. 살막이 자랑하는 오마신 중 한 명인 최자는 그렇게 목숨을 잃었다.

"내가 계속해서 빌빌거리니까 진짜 만만해 보였어?"

설벽린은 제 발밑에 쓰러진 최자의 시신을 내려다보며 피식 웃었다.

"내게 칠보추혼산의 해약이 있을 거라고 생각했겠지? 하지만 칠보추혼산 자체도 없는데 해약이 있을 리가 있겠어?"

그의 말에 만해거사의 눈이 휘둥그레졌다.

"그럼 칠보추혼산 운운한 건 거짓말이었더냐?"

"물론이죠."

설벽린은 어깨를 으쓱거리며 환하게 웃었다.

"위험하게 그딴 독을 어떻게 사용해요? 게다가 애당초 칠보추혼산 자체가 제게 없거든요."

"하지만 진짜 중독된 것처럼 다급해 보였는데?"

"아, 그건 음약(淫藥)입니다. 혹시 몰라서 강침에 발라 두었죠."

음약 정도는 늘 가지고 다닌다는 듯 설벽린은 어깨를 으쓱거리며 말했다. 만해거사의 눈이 휘둥그레졌다.

생각해 보면 확실히 설벽린의 설명대로였다. 호흡이 가

빠오고 심장이 두근거리며 단전 아래가 뻐근해지는 건, 누가 보더라도 음약에 중독됐을 때 보이는 현상이었다.

최자가 조금만 더 냉정하고 이성적이었더라면 자신이 칠보추혼산이 아닌 음약에 중독된 걸 알아차렸을 것이다.

하지만 설벽린은 최자가 전혀 그런 추측을 하지 못하게끔 계속해서 요사스러운 말로 그를 현혹하고 다급하게 만들었던 것이다.

결국 최자는 목숨을 잃을 때까지 자신이 한낱 음약에 중독된 거라는 사실을 전혀 알지 못했다.

"허어."

만해거사가 기가 막히다는 듯이 탄식을 흘릴 때였다. 왕야상의 명령을 받은 수십 명의 살수들이 객잔을 향해 달려오기 시작했다.

## 2. 허장성세(虛張聲勢)

철마지존수(鐵魔至尊手)라고 설벽린이 스스로 명칭(名稱)한 오른팔의 의수는 헌원 노대의 모든 역량과 노력이 집결되어 있는 역작(力作)이었다.

강철로 만들어져 있으나 겉은 사람의 피부와 같은 색으로 칠해져 있었고, 노력만 한다면 내공을 이용하여 다섯 손가락도 자유자재로 움직일 수 있게 만들어져 있었다.

물론 그게 전부가 아니었다.

의수의 손등에 다섯 개의 강침을 장착하여 언제든지 발출할 수 있게 만들었고, 또한 팔뚝에는 무수히 많은 구멍을 뚫어서 팔만사천투수침을 폭사할 수 있도록 조정해 두었다.

설벽린이 황궁의 보고에서 가져온 팔만사천투수침은 그야말로 눈에 보이지 않을 정도로 가늘고 미세한 우모침(牛毛針)이었다.

목표한 상대의 몸을 통과하자마자 곧바로 혈맥을 타고 흘러 들어가 심장에 박혀서 더는 심장이 뛰지 못하도록 만드는 게 바로 우모침의 특징이었는데, 팔만사천투수침은 거기에다가 기맥에 구멍을 내고 근맥과 신경까지 사용하지 못하게 만드는 마비침(痲痺針)의 효능까지 지니고 있었다.

팔만사천투수침은 한 번 발출하면 팔만사천 개의 침이 폭사된다고 해서 붙여진 이름이었지만, 물론 거기에는 어디까지나 대륙 특유의 허세와 과장이 담겨 있었다.

설벽린이 가지고 나온 팔만사천투수침은 총 백팔 개의 자그마한 원통(圓筒)에 담겨 있는데, 한 개의 원통마다 대략 천 개에서 이천 개가량의 우모침이 들어 있었다.

헌원 노대는 설벽린의 의수 입구 쪽에 그 원통을 부착

할 수 있게끔 만들었다. 즉, 의수를 조작하여 팔만사천투수침을 발출하면, 원통에 담겨 있는 천 개에서 이천 개가량의 우모침이 순식간에 폭사하는 식의 방법이었다.

설벽린은 빈 원통을 고이 품에 넣은 후 새 원통을 철마지존수에 부착하며 중얼거렸다.

“앞으로 백일곱 번이나 더 쏟아부을 수 있거든.”

설벽린은 최자의 옆구리에 박혀 있던 강침을 뽑아서 제 의수의 손등에 재장착했다. 그러고는 물밀듯 밀려드는 살막의 살수들을 향해 의수를 내밀며 씨익 웃었다.

“팔만사천투수침에 맞고 허우적거리기에는 그야말로 딱 좋은 밤이 아니더냐?”

설벽린은 웃으며 크게 소리쳤다. 동시에 그의 철마지존수에서 우모침이 폭사했다.

두 번의 섬광이 사라진 지금은 칠흑처럼 어두운 밤이었다. 눈에 보이지도 않을 정도로 가는 세침(細針)이었다. 날아가는 소리도 들리지 않았다.

오륙십 명의 살수 중 선두에서 달려오던 대여섯 명의 살수는 영문도 모른 채 앞으로 픽! 픽! 꼬꾸라졌다.

뒤늦게 누군가가 소리쳤다.

“암기다!”

이내 살수들은 사방으로 산개했다. 생각보다 훨씬 빠른 대응이었다. 설벽린이 세 번째 원통을 갈고 철마지존수를 들었을 때는 이미 살수들이 넓게 흩어져 있었다.

이런 상황이라면 팔만사천투수침을 사용하는 게 낭비이자 손해였다. 설벽린의 눈썹이 찌푸려졌다.

'팔만사천투수침이 쉽게 구할 수 있는 것도 아니고, 역시 지금은 물러서야 할 때가 맞는 것 같다.'

설벽린은 자신을 호위하듯 앞을 가로막고 있는 정유와 만해거사를 향해 말했다.

"예서 싸우는 것보다 객잔 앞마당까지 물러나는 게 낫지 않겠습니까? 양 당주의 무사들과 함께 싸운다면 쉽게 막아 낼 수 있을 것 같은데요."

만해거사가 내공을 운기하며 말했다.

"그 전에 최대한 많은 녀석을 쓰러뜨리는 게 더 낫겠지."

동시에 만해거사는 한껏 내공이 집약된 두 손을 번갈아 앞으로 뻗었다.

펑! 펑!

마치 대포라도 쏘는 것 같은 굉음과 함께 그의 두 손에서는 감당할 수 없는 장력이 뿜어져 나왔다. 지면이 움푹 파이고 흙먼지가 분수처럼 일었다.

그러나 상대는 살막의 최고 살수들이었다. 설벽린의 팔만사천투수침에 당할 때와는 달리, 그들은 날렵하게 좌우로 몸을 움직이며 만해거사의 장력을 피해 나갔다.

만해거사가 화를 냈다.

"젠장! 이럴 때 만혈도(卍血刀)가 있어야 하는 건데!"

만혈도는 만해거사의 독문병기(獨門兵器)로, 그의 몸뚱어리보다 훨씬 큰 도신을 가진 거대한 칼이었다.

또한 만해거사가 범정산 첩루봉 만해암을 떠나오면서 과거와는 작별하고 새로운 삶을 살겠다는 의지와 함께 암자 아래 묻어 둔 칼이기도 했다.

"굳이 만혈도가 아니더라도 대도(大刀)면 되지 않겠습니까?"

설벽린이 말하며 갑자기 경공술을 펼쳐 앞으로 달려 나갔다. 자신의 팔만사천투수침에 의해 쓰러진 살수들 중에 유난히 큰 도신의 대도를 보았던 것이다.

하지만 주변에 있던 살수들이 가만있을 리가 없었다. 그들은 설벽린의 돌진에 맞서 칼을 휘두르고 암기를 내던졌다. 설벽린은 우아하게 허공에서 방향을 틀며 암기를 피했다.

살수 중 누군가가 소리쳤다.

"곤륜대팔식! 네놈은 곤륜의 제자더냐?"

설벽린의 입가에 한 가닥의 미소가 떠올랐다. 왠지 슬프고 가슴 아린 미소였다.

그는 대답 대신 빠르게 지면으로 내려선 다음 두 손을 크게 휘두르며 소리쳤다.

"팔만사천투수침!"

그의 일갈에 놀란 살수들이 황급히 뒤로 물러나고 보법을 밟으며 자리를 이동했다. 조금 전 동료들이 영문도 모른 채 쓰러졌던 상황이 떠올랐다.

하지만 설벽린의 손에서는 아무것도 발출되지 않았다. 대신 그는 허리를 굽혀 대도를 주운 다음, 다시 지면을 박차고 만해거사에게로 날아갔다.

"비겁한 놈! 우리를 속인 게냐?"

살수들이 분노하여 소리쳤다. 설벽린은 만해거사에게 대도를 건네주고는 껄껄 웃으며 말했다.

"애당초 속는 놈들이 멍청한 거지, 속이는 사람이 왜 비겁한 건지 모르겠다."

만해거사가 한숨을 쉬며 대도를 고쳐 쥐었다. 그러고는 다시 설벽린 앞을 가로막더니 살수들을 쓸어 보며 입을 열었다.

"지금이라도 늦지 않았다. 도망치면 쫓지는 않으마."

"개소리!"

살수들이 크게 분노하여 달려들었다.

그들 대부분 은면과 혈면의 살수들이었다. 강호의 평가에 따르자면 최소한 노경(老境) 이상의 실력을 지닌 고수들답게 검을 찌르고 칼을 휘두르는 기세가 하나같이 흉흉하고 날카롭고 강맹했다.

만해거사는 개의치 않고 대도를 휘둘렀다.

지난날 유 노대가 공적십이마 중 한 명인 패왕신마도나 군림십왕 중 한 명인 도왕보다 더 강하고 위맹한 위력을 지녔다고 말했던, 만혈십이도(卍血十二刀)의 도법이 폭포수처럼 흘러나왔다.

우웅!

대도가 허공을 가를 때마다 태풍의 거센 바람 소리가 일었다. 대도의 칼날은 순식간에 십여 차례의 변화를 일으키며 도끼처럼 강렬하게, 섬전처럼 빠르게 살수들을 휘몰아쳤다.

만해거사를 향해 덤벼들던 살수들은 생각보다 훨씬 더 강맹한 만해거사의 칼질에 놀라고 당황하여 황급히 사방으로 흩어져야만 했다.

더더욱 살수들을 당황케 만든 건 그들과 만해거사의 간격이었다. 살수들 또한 노경 이상의 고수들답게 만해거사의 칼질에 한 자 이상의 간격을 두고 피하려 했지만, 마치 만해거사의 팔이 쑥 늘어난 것처럼 순식간에 한 자 가량의 간격이 좁혀지며 그의 대도가 살수들의 머리를 내리치고 어깨를 베어 왔다.

만혈십이도법은 만해거사의 독문절기였다.

서역 천축(天竺)의 땅에서 익혔던 유가밀공의 위력을 극대화시키는 십이초식. 바로 그 유가밀공이 있었기에 과거 유 노대는 만해거사의 만혈십이도법을 패왕신마도

나 권왕의 도법과 동등한 수준이라 평가했던 것이다.

살수들을 당황케 한 건 만해거사뿐만이 아니었다. 정유 또한 바람처럼 부드럽고 나비처럼 우아하게 보법을 밟으며 살수들의 접근을 물리쳤다.

누군가 만해거사를 크게 돌아서 객잔으로 달려가려 치면, 어느새 정유가 그 앞을 가로막고 나서서 검을 휘둘렀다.

어디 그뿐인가.

뒤쪽으로 물러나 있던 설벽린은 두 팔을 들고 이리저리 가리키며 연신 크게 소리치고 있었다.

"쏜다! 팔만사천투수침이 얼마나 무서운지 다들 알고 있을 터, 조금이라도 가까이 오면 바로 쏘겠다! 쏜다니까!"

놀랍게도 설벽린의 허장성세는 통했다. 이미 대여섯 명의 살수들이 설벽린의 팔만사천투수침에 의해 목숨을 잃는 광경을 목도한 까닭에, 살수들은 그가 두 팔을 휘두를 때마다 황급히 보법을 밟아 자리를 피하고 신법을 펼쳐 뒤로 물러나야만 했다.

그건 쉽게 믿어지지 않는 광경이기는 했다. 사오십 명 가량의 특급 살수들이 불과 세 명의 방어진을 뚫지 못한 채 황무지 한복판에서 우왕좌왕하고 있는 모습은.

### 3. 그게 인정(人情)이라는 게지

"도대체 이게 뭔 소란이야?"

저귀는 행주에 손을 닦으며 투덜거렸다.

아무리 쌍둥이를 낳아서 하늘을 날아갈 것 같다고 하더라도 이건 좀 너무한다 싶었다.

폭죽이라니. 이 황량한 황무지 한복판에서 폭죽을, 그것도 연달아 세 발이나 쏘아 올리다니.

저귀는 주방에서 걸어 나오며 기억을 더듬었다.

'가만있자, 유명촌에서 폭죽이 터졌던 게 언제였더나?'

폭죽은 주로 원단(元旦), 즉 새해 첫날이나 단오 등 명절뿐만 아니라 혼인 등 경사를 축하할 때도 사용했다.

하지만 저귀의 기억에 따르자면 그가 이곳에 정착한 이후 지금까지 단 한 번도 폭죽을 터뜨린 적이 없었다. 역시 강만리 일행이 이곳에 머물기 때문에, 쌍둥이를 낳았기 때문에 폭죽이라는 것도 터뜨리며 노는 것이다.

저귀가 그런 제 생각이 틀렸다는 사실을 알아차린 건 아무 생각 없이 주방을 가로질러 문밖으로 나갔을 때의 일이었다.

"어라?"

저귀는 저도 모르게 눈을 휘둥그레 뜨며 인상을 찌푸렸다. 유랑객잔이 세워진 언덕 아래 저편에서 한창 드잡이

질이 벌어지는 광경이 한눈에 들어왔던 것이다.

객잔에서 불과 수십 장 떨어진 그곳에서는 수십 명의 정체 모를 사내들과 정유, 만해거사, 설벽린이 한데 뒤엉킨 채 피비린내 나는 살육전을 벌이고 있었다.

조그만 눈을 동그랗게 뜬 채 잠시 그 전투를 지켜보던 저귀는 마침 객잔 입구 쪽에 서 있던 담호 곁으로 다가가 물었다.

"뭐냐, 저건?"

담호는 정유들의 싸움에서 시선을 떼지 않은 채 빠른 어조로 대답했다.

"적의 기습입니다. 아마도 살막이나 은자림의 살수들 같아요."

"살막? 은자림?"

"네. 살막과 은자림은 당금 무림의 삼대 살수조직……."

"아, 살막과 은자림이 뭐하는 곳인지는 나도 안다. 그러니까 내 질문은 그들이 왜 너희들의 적이냐는 뜻이다."

"그게 설명하기 조금 복잡한데……."

"간단하게 해 봐라, 그럼."

담호는 잠시 고민하다가 입을 열었다.

"살막과 은자림은 각각 우리를 좋지 않게 보는 자들로부터 청부를 받고 북경부부터 예까지 쫓아왔어요."

"그래. 얼마든지 짧고 간단하게 설명할 수 있잖느냐?"

저귀는 어깨를 으쓱하며 말을 이었다.

"그런데 왜 아마도, 라는 말이 붙지? 설마 살막이나 은자림의 살수들 말고 또 다른 적도 있다는 뜻이더냐?"

"네."

"네, 라고? 진짜?"

"네. 실은 건곤가의 북방흑제라는 자가 이끄는 무리에게도 쫓기고 있어요. 아버지나 숙부들은 그들을 가장 경계하는 것 같아요."

"허어."

"그들의 수가 가장 많기도 하고, 또 오대가문의 원군까지 합류할 것 같다고 이야기하셨던 걸 잠자는 척하면서 들었거든요."

"호오."

저귀는 세 겹의 턱을 쓰다듬다가 문득 구성지게 들려오는 노랫소리에 고개를 돌렸다. 뒷마당 쪽에서 구운 고기 냄새와 술 냄새가 흐드러지게 풍겨 왔다. 저귀는 눈살을 찌푸렸다.

"설마…… 유명촌 늙은이들이더냐?"

담호가 대답했다.

"네."

"왜 이런 상황에서 아직도 저리 놀고 있는 게지? 왜 말리지 않았느냐?"

"적의 방심을 유도할 수 있다고 그냥 놔두라고 하셨어요, 강 숙부께서요. 그리고 저도 굳이 잔치를 파(破)하고 싶지 않았고요. 객잔 이 층에 계시는 분들은 아무래도 지금 상황에 매우 불안하고 초조할 테니까, 저 흥겨운 노랫소리가 조금은 그런 감정을 해소하게 해 줄 수 있지 않을까 해서요."

"흠, 그건 뭐 나름대로 일리가 있구나."

턱을 매만지던 저귀가 다시 담호를 돌아보며 물었다.

"그런데 너는 지금 예서 뭘 하는 게냐?"

"이곳에서 화평장 식구들의 안전을 책임지라는 명령을 받았거든요."

담호는 살짝 머쓱한 표정을 지으며 말을 이었다.

"그래서 양 숙부…… 아니, 양 당주와 함께 객잔 주변을 경계하고 있는 중이에요."

"그렇군. 아주 엄중한 책임을 지고 있구나."

저귀는 담호의 머리보다 큰 손으로 그의 어깨를 가볍게 두드리며 말했다.

그때였다. 정유들이 막고 있던 수십 명의 살수 중 십여 명이 순간적으로 그 방어진을 뚫고 객잔을 향해 날아들었다. 저귀와 이야기를 나누는 동안 계속해서 상황을 주시하고 있던 담호의 안색이 급변했다.

그와 동시에 객잔 주변에 포진해 있던 무사들이 빠르게

공격 자세를 취하며 담호를 돌아보았다. 어찌 대응해야 할지 지시를 내려 달라는 얼굴들이었다.

순간적으로 담호의 머릿속이 헝클어졌다. 마침 양위는 객잔의 후면을 지키기 위해 뒷마당 쪽에 머물러 있었다. 그러니 지금 이 상황에서는 오로지 담호가 모든 책임을 지고 무사들을 지휘해야 했다.

'달려 나가서 맞서 싸워야 하는 건가? 아니면 적이 다 가올 때까지 최대한 지키고 있어야 하는 건가?'

어떤 대응이 최선인지 갈피를 잡을 수가 없었다. 자신의 명령으로 인해 자칫 십여 명의 무사들이 목숨을 잃을지도 모른다는 생각이 들자 더더욱 지시를 내리기 어려워졌다.

그렇게 담호가 방어진을 뚫고 달려온 살수들이 불과 십여 장의 거리까지 접근하는 동안 아무 대책도 내세우지 못하고 있을 때였다.

"흠, 정말 못된 놈들이로구나. 객잔을 찾아온 손님이라면 손님답게 정중하게 예우를 갖춰야 하거늘, 이렇게 함부로 쳐들어오면 쓰나?"

저귀가 양쪽 소매를 걷어 올리며 성큼성큼 앞으로 걸어 나갔다. 일순 담호의 눈이 휘둥그레졌다. 분명 저귀는 한 걸음씩 걷고 있었는데, 불과 서너 걸음 만에 살수들의 앞을 가로막고 있었다.

객잔을 향해 달려오던 살수들은 느닷없이 곰 같은 중년 사내가 자신들의 앞을 가로막자 반사적으로 칼을 휘두르고 검을 내질렀다.

"어라? 거기에다가 함부로 칼까지 휘둘러? 네놈들은 우리 객잔의 손님 자격이 없다!"

저귀는 솥뚜껑처럼 크고 곰 발바닥처럼 두꺼운 손을 들어 살수들의 따귀를 후려갈겼다. 폭풍 같은 기세로 덤벼들던 살수가 쩌억! 하는 소리와 함께 혼절한 상태로 사오 장이나 날아갔다.

저귀는 묻지도 따지지도 않고 계속해서 손바닥으로 살수들의 따귀를 후려쳤다.

그의 손바닥이 허공을 가를 때마다 요란한 뺨따귀 후려치는 소리와 함께 한 명의 살수가 정신을 잃고 나가떨어졌다. 어떤 자는 따귀 한 방에 심지어 목뼈가 부러져 그대로 죽기도 했다.

살수들은 전력을 다해 칼을 휘둘렀지만 아무런 소용이 없었다. 그들이 휘두르는 무기는 마치 생명이라도 있는 듯 저절로 휘어져 저귀의 몸을 비켜 지나갔다. 마치 닿으면 내가 부러진다는 공포와 두려움에 가득 찬 것처럼.

저귀는 살수들의 칼과 검을 전혀 신경 쓰지 않았다. 그는 뚜벅뚜벅 걸음을 옮기며 손을 높이 들어서 한 명씩 뺨을 후려치고 또 후려쳤다. 대여섯 명의 살수들이 순식간에 이삼 장 허공을 날아가 떨어졌다.

살수들은 크게 동요한 눈빛으로 저귀를 보며 황급히 몸을 피하려 했지만 그것 역시 소용이 없었다. 아무리 빠른 보법과 신법을 밟아도 저귀가 한 걸음 내딛는 순간 이미 그의 뺨따귀 사정권에 들어가 있었다.

쩌억!

그와 마주친 살수는 마치 수박 갈라지는 듯한 소리와 함께 또다시 허공을 날아 아무렇게나 나자빠졌다. 침까지 질질 흘리며 눈을 까뒤집은 모양새가 그 따귀 한 대로 목숨까지 잃은 게 틀림없었다.

상황이 이렇게 되자 가면 속에 가려진 살수들의 안색이 새파랗게 변했다.

그들은 혈면과 은면의 살막 최고 살수들이었지만 지금은 그저 어린아이가 악몽 속의 괴물과 마주친 것처럼, 공포와 두려움과 겁에 질린 눈으로 저귀를 쳐다보며 어찌할 바를 몰라 했다.

그건 정유 일행과 싸우고 있던 살수들도 매한가지였다. 무슨 일이 벌어졌는지 그들 또한 정유와 만해거사의 어깨 너머로 똑똑히 지켜보았던 것이다.

"뭣들 하냐?"

저귀는 겁에 질려 더는 덤벼들지 못하고 주춤주춤 물러서던 살수들은 외면한 채 정유 일행과 맞서던 살수들을 향해 그 조그만 눈을 부릅뜨며 입을 열었다.

"네놈들도 따귀를 맞고 싶은가 보구나. 아직도 이곳을 떠나지 않는 걸 보면?"

저귀가 손바닥에 퉤! 하고 침을 뱉으며 걸음을 옮겼다. 순식간에 저귀는 설벽린을 지나쳐 정유와 만해거사가 서 있는 곳까지 다가왔다.

살수들은 서로를 둘러보았다. 아직도 삼십 명 가까운 인원이 남아서 버티고 있었다.

하지만 그들 모두 공포에 질린 눈빛이었다. 그 동료들의 눈빛을 확인한 순간 그들은 이심전심(以心傳心), 아무 대화도 나누지 않은 채 모두 똑같은 생각을 했다.

-후퇴하자!

바로 그때였다.

휘이익!

날카로운 휘파람 소리가 그들의 뒤쪽, 불화살이 쏟아져 내렸던 황무지 저편에서 들려왔다. 얼마나 뾰족하고 날카로운지 마치 절규처럼 들려오는 휘파람 소리였다.

그 휘파람 소리를 듣자마자 살수들의 안색은 더욱 창백해졌다. 동시에 그들은 갑자기 몸을 돌려 어둠이 내려앉은 황무지 안쪽으로 도주하기 시작했다.

저귀와 상대하던, 정유들과 맞서던 모든 살수들은 사방으로 뿔뿔이 흩어진 채 정신없이 내달렸다. 어두운 황무지를 향해 내달리는 그들의 경공술은 그 어느 때보다도 빠르고 간절해 보였다.

"어딜 도망쳐!"

설벽린이 소리치며 따라가려 했다.

하지만 불쑥 튀어나온 저귀의 두툼한 손이 그의 앞길을 가로막았다.

설벽린이 눈을 휘둥그레 뜨며 그를 쳐다보자, 저귀는 가늘게 뜬 눈으로 아직도 싸움이 한창인 황무지 저편을 바라보며 말했다.

"원래 도망치는 놈은 살려 주는 법이다. 그게 인정(人情)이라는 게지."

8장.

# 만약(萬若)이라는 건

"아쉽고 미련이 남고 후회스러운 걸
계속 마음에 두는 것처럼 어리석은 게 없으니까.
그렇게 자책할 여유가 있다면
그 시간에 좀 더 자신을 갈고닦아서 두 번 다시 그런 후회와 미련을 갖지 않게
정진하는 것이 훨씬 더 생산적이고 바른길이니까."

## 1. 실수였나?

"원래 도망치는 놈은 살려 주는 법이다. 그게 인정(人情)이라는 게지."

설벽린은 저귀의 말이 마음에 들지 않는다는 듯 입을 삐끔거렸다.

'그럼 뭐 도망치는 사냥감도 다 놓아주신답니까?'

대충 그런 항변을 하고 싶었지만 결국 설벽린은 아무 말도 하지 못하고는 한숨을 쉬며 고개를 내저었다. 그러고는 웃는 낯으로 말했다.

"뭐, 이곳 주인장이 그리 말씀하신다면야."

저귀가 씨익 웃었다.

"그래. 그렇게 주인장의 뜻을 헤아릴 줄 알아야 제대로 된 손님이라 할 수 있지. 내 그런 의미에서 진짜 맛있는 꿩국을 대접해 드리겠네."

설벽린이 반색했다.

"그럼 드디어 그 전설의 꿩국을 맛볼 수 있는 겁니까?"

"하하. 그렇게 너무 기대하면 되레 내가 불안해지는데."

두 사람은 아직도 사방에서 싸움이 한창이라는 사실을 까맣게 잊은 듯 그렇게 웃으며 이야기를 나눴다.

한편 정유는 두 사람의 대화를 들으며 가만히 저귀를 지켜보았다.

사실 설벽린과 저귀의 대화는 어딘지 모르게 단극(短劇) 같은 부분이 있어서 가만히 듣고 있으면 헛웃음이 흘러나올 법했다. 그러나 정유는 그 어느 때보다도 딱딱하게 굳은 눈빛과 표정으로 저귀를 쳐다보고 있었다.

믿을 수 없었다. 태극천맹의 본산에서 근무하며 온갖 고수들을 다 만나 보았지만, 그리고 그들의 무공을 수십, 수백 차례 견식한 그였지만 세상에 그런 무공은 처음 보았다.

아니, 그건 애당초 무공이라 할 수가 없었다. 저귀는 그저 걷고 따귀를 후려갈겼을 뿐이었다. 그건 보법도 아니었고, 권법도 아니었다.

하지만 천하의 살막 최고 살수들은 그 단순한 걸음걸이에서 도망치지 못했고, 그 무지막지한 손찌검을 피하지 못했다.

멀리 도망치는 살수를 향해 한 걸음 다가가서 앞을 가로막은 다음 상대가 휘두르는 칼과 검을 무시한 채 무작정 따귀를 후려친다. 결국 그게 저귀가 보여 준 전부였다.

하지만 지금 정유의 심장은 한없이 쿵쾅거리고 있었다.

'나라면 피할 수 있었을까?'

그랬다.

'나라면 공격할 수 있었을까?'

그랬다.

자신이 없었다. 그저 아무렇게나 내딛는 저귀의 한 걸음을 피해 도망치거나, 오로지 내 뺨을 노리고 후려치는 저 손바닥을 피할 자신이 없었다.

그렇다고 다가오는 그를 향해 검을 날려 해치울 자신은 더더욱 없었다.

'그러니까…….'

문득 까마득하게 잊고 있었던 기억 하나가 정유의 뇌리로 떠올랐다.

언젠가 담우천이 했던 이야기였다.

당시 화평장 식구들이 한자리에 모여서 반은 농담 삼아 천하제일인을 논하던 자리였으리라.

그때 누군가가 담우천을 가리켜 천하제일 운운했고, 담우천은 정색하며 이렇게 말했다.

-지금의 오성(五成) 정도에 불과한 일원검의 무위를 십성까지 성취한다면, 그러니까 유주의 그 뚱보 주인장을 이길 정도가 되면 당당하게 천하제일인이라고 자부해도 될 거라고 생각하는 중이네.

그 뚱보 주인장이 바로 이 저귀였다.

그런 기억을 잊은 채 저귀를 처음 만났을 때만 하더라도 정유는 이 뚱보 주인장이 여느 곳에서나 볼 수 있는, 그저 정체를 숨긴, 혹은 은 거 고인(高人) 정도로만 생각했다.

정유는 지금에야 알 수 있었다. 자신의 사람 보는 눈이 아직 확실히 부족하다는 것을.

'그러니까 이자가 당대(當代) 천하제일고수란 말이지?'

마음속으로 그렇게 중얼거렸을 때, 정유는 갑자기 목이 말랐다. 뭐라고 형용할 수 없는 묘한 감정이 스멀스멀 피부를 타고 기어 올라왔다.

그건 담우천과 처음 마주했을 때도, 태극천맹의 맹주 정문하와 독대했을 때도 전혀 느끼지 못했던 기분이었다.

그 정체를 알 수 없는 뜨거운 감정이 정유의 가슴속 깊은 곳에서 천천히 밀려오고 있을 때, 문득 저귀가 그를 돌아보며 말했다.

"자, 돌아가지. 저 어린 녀석 홀로 남아 계속 당황하고 고민하게 놔둘 생각이 아니라면 말일세."

정유는 퍼뜩 상념에서 깨어나 뒤를 돌아보았다. 객잔 입구 쪽에는 담호가 주먹을 불끈 쥔 채 서 있었다.

그의 주변에는 십여 명의 화평장 무사들이 모여 있었지만 저귀의 말을 들었기 때문인지, 그 어느 때보다도 외롭고 힘겨워 보였다.

"그럼 나머지 살수들은 담 형님들에게 맡기도록 하죠."

정유가 몸을 돌리며 말했다. 저귀가 고개를 끄덕이며 대꾸했다.

"그렇지. 객잔에 피해를 주지 않는 게 또 손님 된 도리이니까 말이야."

그렇게 말한 저귀는 곧 인상을 찌푸리더니 객잔 뒷마당에서 여전히 잔치를 벌이고 있는 유명촌 사람들을 향해 뚜벅뚜벅 걸어가며 짜증을 부렸다.

"아니, 도대체 술 처먹지 못해 죽은 귀신들이 있나? 지금 상황에 술은 무슨 술이야?"

그의 목소리가 들렸을까.

밤새 쉬지 않고 먹고 마시며 왁자지껄 떠들 것만 같았던 유명촌 사람들의 목소리가 순간적으로 사라졌다. 노랫소리도 끊겼다. 삽시간에 객잔 주변에는 적막이 맴돌았다.

"내 객잔 앞마당에 쓰레기가 난무하는데도 마냥 술만 처마시고 있겠다 이거지?"

저귀가 씩씩거리며 뒷마당으로 사라졌다. 동시에 술에 취한 목소리가 변명처럼 들려왔다.

"아니, 우리까지 나설 필요는 없을 것 같아서 말이네. 아이쿠! 말로 하세, 말로. 왜 손을 올리고 그러는가?"

정유와 설벽린, 만해거사는 저도 모르게 서로를 돌아보았다. 만해거사가 쓴웃음을 흘리며 중얼거렸다.

"정말 세상은 넓군그래."

설벽린이 고개를 끄덕이며 말을 받았다.

"기인은 모래알처럼 많고요."

정유가 속삭이듯 중얼거렸다.

"하지만 아무리 세상이 넓고 기인이 모래알처럼 많은들, 저 뚱보 주인장 같은 사람은 천하에 오직 한 명뿐이겠죠."

* * *

'실수였나?'

뒤늦게 후회가 밀려들었다.

실수였다. 그것도 연거푸 이어지는 실수였다.

수하들을 한데 모아 진용(陣容)을 갖춘 게 첫 번째 실수였다면, 그 수하들을 사방으로 분산시킨 게 두 번째 실수였다. 이왕 한곳으로 모은 상황에서는 절대 그들을 분산시켜서는 안 되었다.

특히 최자 홀로 보내 기습을 감행시킨 건 그야말로 악수 중의 악수였다.

'최자가 있었어야 했다.'

왕야상은 거친 숨을 몰아쉬며 그렇게 생각했다.

최자만 있었더라면, 그렇게 둘이 함께 놈을 상대했더라면 결코 이런 결말로 맺어지지 않았을 일이었다. 아무리 놈이 강하다 한들 왕야상과 최자의 능력이라면 충분히 해치울 수 있었으니까.

애당초 오마신 중 굳이 두 사람이 한 조가 되어 움직인 건, 그들만의 합격(合擊) 능력이 있었기 때문이 아니었던가.

"네놈은 천하무적(天下無敵)이 아니다."

왕야상은 힘겹게 입을 열었다.

"만약 내 동료만 있었더라면 내가 아니라 네게 죽었을 것이다."

"그럴지도."

정면에 마주 선 중년 사내, 담우천은 희미하게 고개를 끄덕이며 말했다.

"또 그렇지 않을지도 모르지."

담우천은 천천히 죽어 가는 왕야상을 물끄러미 바라보며 말을 이었다.

"만약이라는 건 결국 가정으로 끝나는 거니까. 애당초 벌어지지도 않은 일을 두고 왈가왈부하는 건 미련이 남았기 때문이니까. 그러니 처음부터 미련이 남을 일은 하지 않았어야지."

"미련이라……."

왕야상은 두어 차례 피를 토한 후 부들부들 떨리는 손으로 입을 닦으며 말했다.

"그래. 미련 맞은 부탁일지도 모르지만…… 내 수하들은 살려 주게."

담우천은 무심한 눈빛으로 그를 지켜보며 말했다.

"우리를 건드리지 않는다면 굳이 죽이지 않을 걸세."

"약속하겠나?"

"약속하지."

"좋아. 두 번 다시 자네들의 뒤를 쫓지 않겠네. 내, 약속하지."

그렇게 말한 후 왕야상은 몇 차례 호흡을 가다듬었다. 그러고는 마지막 힘을 짜내어, 절규처럼 단말마처럼 휘파람을 불었다. 그 휘파람은 유주의 밤하늘 멀리까지 퍼져 나갔다.

유랑객잔 부근에 있던 살수들은 물론, 유명촌 초입을 향해 달려갔던 살수들 모두 똑똑히 들을 수 있을 정도로 뾰족하고 날카로운 휘파람이었다.

-모두 퇴각하라!

그것이 마지막 절규와 같은 그 휘파람에 담긴 의미였다. 청부의 실패를 인정하고 후일을 도모하라는 상관의 지시였다.

살막의 살수들은 그 소리를 듣는 즉시 하던 일을 중단하고 무조건 퇴각하게끔 훈련을 받았다. 그리고 지금 정유들과 저귀와 맞서던 살수들은 미련조차 두지 않고 몸을 돌려 황무지 저편으로 도망쳤다.

"제대로 훈련을 받았군. 미련을 두지 않는 걸 보니."

왕야상은 희미하게 웃었다.

이제 앞은 보이지 않았다. 하지만 아직 귀는 멀쩡해서 수하들이 사방으로 흩어져 도주하는 기척을 들을 수 있었다. 안도의 한숨이 절로 나왔다.

살아 있기만 하면…… 복수는 언제든지 할 수 있었다. 살막의 전력이라면 충분히 놈과 놈의 동료들을 해치울 수 있었다. 자신과 같은 어리석은 실수를 하지 않는다면 말이다.

놈과의 약속? 그 약속은 오직 왕야상, 그만 책임지면 될 일이었다. 자신이 죽으면 놈과의 약속도 게서 사라질 일이었다. 그러니 죽음을 코앞에 두고서도 왕야상은 미소를 지을 수가 있었다.

"살막을……."

'살막을 무시하지 마라.'

왕야상은 그렇게 말하려고 했다.

하지만 가슴에 구멍이 뻥 뚫린 상태에서 예까지 버틴 것만으로도 기적과 같은 일이었다. 수하들이 모두 도주했다는 안도 때문이었을까. 그는 마지막 한마디도 제대로 남기지 못한 채 앞으로 고꾸라졌다.

담우천은 그제야 천천히 거궐을 거둬들였다.

단 일검에 살막의 마신 왕야상의 가슴에 커다란 구멍을 낸 것치고는 그의 표정이 뭔가 애매하게 보였다. 만족한 것도, 그렇다고 불만스러운 것도 아닌 모호한 표정.

담우천은 황무지의 거친 지면에 얼굴을 처박고 고꾸라진 왕야상을 가만히 내려다보다가 불쑥 입을 열었다.

"살막을 무시하지 말라고 말하고자 한 건가?"

담우천은 가볍게 한숨을 내쉬며 말했다.

"그대야말로 나를, 아니 우리를 너무 무시하는군그래."

## 2. 절세(絕世) 고수

"아니, 어딜 그렇게 쏘다니고 온 겁니까? 이곳에서 무슨 일이 있었는지 아십니까?"

설벽린의 말에 강만리가 가볍게 눈살을 찌푸리며 대꾸하려는 순간, 화군악이 먼저 웃으며 입을 열었다.

"너무 그러지 마세요. 우리도 수십 명이나 되는 살막 살수들과 싸우다 온 길이거든요."

"응? 아, 그럼 그 나중에 터진 폭죽들이……."

"네. 우리가 터뜨린 겁니다."

화군악이 고개를 끄덕였다.

강만리가 금면 살수들의 시신을 뒤져 찾아낸 게 바로 구명신폭이었다.

애당초 그들은 유명촌에서 한참 벗어난 곳까지 이동한 다음 구명신폭을 터뜨려 살막의 전력을 그쪽으로 유인할 생각이었다.

그러나 예상한 것보다 훨씬 빠르게 살막의 본진이 유명촌 부근까지 접근한 바람에 당초의 계획이 무산되고 말았다.

강만리 일행이 외곽으로 이동하던 중 유랑객잔에서 그리 멀리 떨어지지 않은 황무지에서 갑자기 비명과 칼질이 들렸고, 결국 다급해진 그들은 싸움이 벌어진 곳으로 내달리며 무작정 구명신폭을 쏘아 올렸던 것이다.

"다들 금면을 뒤집어쓰고 있었으니까요. 그것만으로도 우리가 상대했던 자들이 얼마나 강한지 알 수 있겠죠?"

화군악이 술잔을 내려놓으며 당당하게 말했다. 그가 으스대는 게 살짝 아니꼬웠는지, 아니면 자신도 자랑하고 싶었는지 설벽린이 짐짓 한숨을 쉬며 말했다.

"대단하군. 그에 비하면 내가 죽인 자는 아무것도 아닌 모양이네."

"에? 형님이 누굴 죽였다고요? 진짜요?"

"그래. 내가 죽인 자는 혈면도 은면도 금면도 안 쓰고 있더라고. 아마 형편없는 졸자(拙者)였을 거야."

"이상하네요."

술잔을 들어 막 입에 대려던 장예추가 고개를 갸웃거렸다.

"살막에서 가면을 쓰지 않는 살수는 오직 오마신뿐이라고 알고 있는데요. 심지어 철면(鐵面) 살수들도 귀면(鬼面)의 가면을 쓰거든요."

"그러니까."

설벽린은 억지로 웃음을 참으며 말했다.

"설마 그렇다고 내가 해치운 자가 오마신 중 한 명이겠어? 에이, 담 형님이 죽인 자가 오마신 중 한 명이던데. 아, 이번 살행에 살막이 두 명의 마신을 보냈다고 했던가? 잘 모르겠네."

화군악의 눈이 휘둥그레졌다.

"그 말 진짭니까?"

그는 믿을 수 없다는 듯이 정유와 만해거사를 돌아보며

물었다.

"지금 설 형님이 하신 말씀이 사실이에요? 설 형님이 마신을 해치웠다고요?"

"뭐, 대충."

"그런 셈이네."

정유와 만해거사는 그리 흥미가 없다는 얼굴로 그렇게 말했다. 사실 그들은 지금 화군악과 설벽린의 대화에 별 관심이 없었다. 아직도 그들의 머릿속에는 저귀가 보여 주었던 그 놀라운 광경이 지워지지 않고 있었다.

"헤에."

화군악은 여전히 믿어지지 않는다는 얼굴로 설벽린을 바라보며 물었다.

"그나저나 마신이나 되는 자를 어떻게 죽였는데요?"

설벽린이 팔짱을 끼며 말했다.

"다 수가 있지. 무공이 전부가 아니거든. 즉, 강한 자가 이기는 게 아니라 이기는 자가 강한 거라는 뜻이지."

"에휴, 됐습니다. 그깟 마신 하나 죽인 게 뭐가 그리 자랑이라고."

화군악은 손사래를 치다가 문득 구석진 자리에 홀로 앉아 있던 담호를 돌아보고는 웃으며 말을 건넸다.

"이야기 들었다. 네가 고생했다면서?"

담호는 고개를 숙이며 말했다.

"고생은요. 제가 한 건 아무것도 없어요."

"아니다."

강만리가 고개를 저으며 입을 열었다.

"네가 중심을 잘 잡아 줬기에 화평장의 무사들이 겁내거나 불안해하지 않고 놈들과 대치할 수 있었던 게다. 또 네가 뒤에서 든든히 버티고 있었기에 만해 할아버지나 정 숙부, 설 숙부가 마음 놓고 싸울 수 있었던 게고. 안 그렇습니까?"

"허허, 그렇지. 담호가 뒤에 있었기에 우리가 안심하고 전력을 다해 살막의 살수들과 싸울 수 있었던 게야. 그러니 아무것도 한 게 없다는 건 틀린 말이다."

만해거사가 웃으며 말했지만 담호는 입술을 내밀며 고개를 저었다.

"하지만 제가 망설이는 동안 저귀 아저씨가 다 하셨거든요. 만약 저귀 아저씨가 아니었다면……."

그때였다. 창가 쪽 자리에 앉아서 잠자코 술을 마시던 담우천이 불쑥 말을 꺼냈다.

"만약이라는 말은 하지 않는 게 좋겠구나."

담호는 입을 다물었다. 담우천은 술잔을 들어 지그시 바라보며 말을 이었다.

"아쉽고 미련이 남고 후회스러운 걸 계속 마음에 두는 것처럼 어리석은 게 없으니까. 그렇게 자책할 여유가 있다면 그 시간에 좀 더 자신을 갈고닦아서 두 번 다시 그런 후회와 미련을 갖지 않게 정진하는 것이 훨씬 더 생산적이고 바른길이니까."

그의 담담한 목소리에 담호는 물론 좌중(座中) 모두 진지한 표정을 지었다.

담우천은 잠시 뜸을 들이다가 천천히 말했다.

"그러니 후회와 미련에 연연하는 건 결국 나약한 겁쟁이나 하는 게다. 다시 일어설 힘과 자신이 없는 자의 것인 게지. 포기하지 않고 끝끝내 버티고 일어날 자라면 만약이라는 말 따위 입에 올리지 않을 게다. 너는 어느 쪽이더냐?"

담호는 힘겹게 입을 열었다.

"후회와 미련에 연연하지 않을게요."

"그래. 그래야지. 그래야 우리 담호인 게지."

만해거사가 껄껄 웃으며 말했다.

"어쨌든 고생했다. 느닷없이 중책을 맡는 바람에 마음고생이 심했을 터, 이제 올라가서 눈 좀 붙이도록 해라."

"네, 할아버지."

담호는 자리에서 일어나 담우천들에게 인사를 한 후 이층으로 올라갔다. 만해거사는 그의 기척이 사라질 때까지 기다렸다가 담우천에게 한마디 했다.

"너무 엄격하게 키우지 말게나."

빈 잔에 술을 따르던 담우천이 멈칫거렸다. 그는 잠시

생각하다가 조금은 자신이 없다는 투로 물었다.

"제가 너무 엄격한 것 같습니까?"

"그럼."

"그럼요."

"그렇죠."

만해거사뿐만 아니라 강만리, 화군악들도 동시에 고개를 끄덕이며 대답했다.

담우천은 살짝 눈살을 찌푸렸다. 그러고는 낮은 한숨을 흘리며 입을 열었다.

"실은 저도 잘 모르겠습니다. 부친에게 가르침을 받은 적이 없어서, 어느 정도가 엄격한 건지 어떻게 가르쳐야 하는지 말입니다."

일순 좌중 모두 입을 다물었다.

사실 제대로 부친과 정(情)을 나누고 대화를 즐기며 가르침을 받은 이는 오직 장예추뿐이었다.

설벽린과 정유는 서자(庶子) 출신으로 갓난아기 때부터 부친과 떨어져 살아야 했고, 강만리에게 누이동생이 있었던 것만 제외하고는 그 역시 화군악과 같은 고아라 할 수 있었다. 심지어 만해거사 또한 아주 어렸을 적부터 사부에게 키워졌으니, 제대로 된 부친의 정을 느낄 수가 없었다.

그러니 담우천의 말에 대한 해답은 오직 장예추만이 해줄 수 있었다. 하지만 장예추는 객잔에 들어서자마자 이

층으로 뛰어 올라가 아쉽게도 지금 이 자리에 없었다.

사람들은 애꿎은 헛기침을 하거나 혹은 괜히 창밖을 바라보았다. 담우천은 괜히 그런 말을 해서 분위기를 가라앉게 했다고 생각하면서 화제를 돌렸다.

"그나저나 뚱보 주인장이 제법 활약을 했나 봅니다. 아호가 그렇게까지 풀 죽은 걸 보면 말이죠."

만해거사가 한숨을 쉬며 입을 열었다.

"말 말게. 평생 살아오면서 그런 괴물은 처음 보았네. 지금껏 내가 배우고 익혔던 모든 것이 통째로 무시당하고 지워지는 듯한 기분을 느꼈으니까."

강만리가 궁금하다는 듯이 물었다.

"도대체 주인장이 얼마나 대단한 무공을 펼쳤기에 그러시는 건데요?"

"무공도 뭣도 아닐세. 그저 뚜벅뚜벅 걸어가서 뺨을 한 대씩 후려갈겼을 뿐이네."

"네? 진짜요? 그게 전부라고요?"

"훗. 직접 본 나조차 믿기 힘드니 이야기만 듣는 자네는 더 믿기 어렵겠지. 하지만 사실이네. 그게 전부였네."

강만리는 눈을 동그랗게 뜨며 말했다.

"그런데 살막의 살수들이 전혀 피하거나 막지도 못했어요? 제대로 반격도 하지 못하고요?"

"반격이야 하려 했지. 칼도 휘두르고 검도 찌르고. 하지만 주인장의 몸 근처에도 가지 않더군. 마치 자기네들이 알아서 피하는 것처럼 말이야."

"세상에 그런……."

"그러니 내가 얼마나 허탈하겠나? 나름대로 무림의 절정 고수라는 자들이 뺨을 맞고 혼절하거나 목숨을 잃었으니 말일세. 지금껏 내가 배우고 익혔던 모든 무공과 지식이 모두 쓸모없다는 생각이 들더군."

"허어."

강만리가 엉덩이를 긁적이며 말했다.

"이곳 주인장이 절세(絕世) 고수라는 거야 이미 수년 전에 알았지만 그 정도의 고수일 줄은 몰랐네요."

"뭐, 저는 알고 있었습니다만."

화군악이 어색하게 웃으며 입을 열었다.

"그때 저도 저 뚱보 주인장에게 따귀를 맞고 쓰러졌거든요."

"허어."

강만리가 재차 탄성을 흘렸다.

## 3. 똥파리

"이야기를 들어 보니 저귀의 무위가 더 높아진 것 같군."

담우천의 중얼거림에 사람들의 시선이 그에게로 쏠렸다. 정유가 조심스레 입을 열었다.

"예전에는 그렇게까지 강하지 않았다는 말씀이십니까?"

"아니, 예전에도 아주 강했네."

담우천은 고개를 저으며 말했다.

"무적가 삼신(三神) 중 한 명인 사신(死神) 오곤도 그의 주먹질에 목숨을 잃었으니까."

"허어, 정말인가?"

만해거사가 감짝 놀라며 물었다.

무적가의 삼신이라면 만해거사도 익히 잘 알고 있었다. 그들은 정사대전 당시 혁혁한 공로를 세운 동료들이었으며, 심지어 공적십이마와 비견해도 뒤지지 않는다는 소리가 있을 정도의 고수들이었다.

"그렇습니다. 열 대 정도 얻어맞고 온몸의 뼈가 산산조각이 난 채 천궁팔부의 주인 열혈태세에게 이끌려 객잔을 빠져나갔다고 합니다."

그때였다.

"정확하게 말하자면 열두 대일세."

묵직한 목소리가 들리는가 싶더니 이내 저귀가 커다란 쟁반을 들고 주방에서 걸어 나왔다.

사람들은 입을 다물고 그가 걸어오는 모습을 지켜보았

다. 곰 같은 저귀의 체격이 더 커 보였고, 심지어 그의 전신에서 후광까지 비치는 듯 느껴졌다.

"자, 먹게들."

저귀는 쟁반에서 뜨거운 국이 담긴 대접을 차례로 탁자 위에 내려놓았다. 강만리가 킁킁거리며 고개를 끄덕였다.

"꿩국이로군."

"꿩국이지."

저귀가 어깨를 으쓱거리며 말했다.

"귀한 국일세. 꿩이라는 게 애당초 이 근방에서는 좀처럼 구하기 힘든 놈이니까. 한 솥 가득 끓여 놓았으니까 마음껏들 먹게나."

말을 마친 저귀는 문득 담우천을 노려보며 물었다.

"그 똥파리들 때문에 내가 얼마나 손해를 봤는지 아나?"

담우천은 그게 무슨 소리냐는 듯 쳐다보았다. 저귀의 말이 이어졌다.

"그때 박살 난 의자가 다섯 개, 탁자가 두 개네. 거기에 술과 안주까지. 그런데 겨우 은자 천 냥 정도밖에 받지 못했네. 수천 냥이나 손해를 본 걸세, 자네 때문에 말이지."

화군악이 끼어들었다.

"그게 왜 담 형님 때문인가요? 무적가 놈들 때문이죠."

"그 똥파리들이 왜 이 먼 곳까지 왔는데? 다 저 친구 때문이 아니냔 말이지. 오늘도 그래. 살막인가 뭔가 하는 놈들이 예까지 온 건 다 자네들 때문이잖은가? 거기에 은자림에다가 또 건곤가니 오대가문의 원군이니 하는 똥파리들도 찾아올 게 아닌가?"

화군악은 반론을 펼칠 수가 없었다. 확실히 이 소란의 원인 제공은 모두 자신들에게 있었으니까.

저귀는 한숨을 쉬며 말했다.

"뭐 원래 그런 거라는 건 나도 잘 알고 있네. 똥에는 늘 똥파리들이 모여드는 법이니까."

일순 담우천을 비롯한 사람들의 얼굴이 굳어졌다. 저귀의 말은 선을 넘었다. 지금 그는 담우천과 강만리들을 똥으로 비유하고 있는 것이었으니까.

화군악이 한숨을 쉬며 말했다.

"어쩔 수 없잖아요?"

저귀가 눈을 동그랗게 떴다.

"응? 뭐가?"

"똥통에 똥이 있는 게 당연하잖아요?"

"응?"

저귀의 입이 벌어졌다.

객잔 대청의 분위기가 급격하게 싸늘해졌다. 정유는 저도 모르게 허리춤에 손을 가져갔다.

그때였다. 저귀가 껄껄껄 웃으며 감탄하듯 크게 고개를

끄덕였다.

"이야, 그건 정말 생각지도 못한 반격인데?"

저귀는 아주 흡족하다는 표정을 지으며 말했다.

"지금껏 수많은 손님들에게 그런 식으로 말했지만 자네처럼 되받아친 사람은 처음일세. 안 그런가?"

저귀가 담우천의 어깨를 두드리며 물었다.

담우천의 얼굴이 일그러졌다. 듣고 보니 기억이 난 게다. 그 역시 저귀로부터 '똥에는 똥파리가 모여드는 법'이라는 소리를 들은 적이 있었고, 또 아무 말도 하지 못한 채 똥파리들의 시신을 치우기만 했다는 사실을.

저귀는 유쾌하다는 표정으로 말을 이었다.

"좋아. 나는 그런 농담을 매우 좋아하네. 사실 농담이라는 게 서로 주고받는 맛이 있어야 하지 않겠나? 매번 나 혼자 농을 건네기만 할 뿐 돌아오는 대답이 없어서 늘 싱겁게 끝났거든."

'그걸 농담이라고 하기에는 좀 지나치지 않습니까?'

정유는 허리춤에서 손을 떼며 속으로 중얼거렸다.

"어쨌든 똥파리를 무서워할 필요는 없네."

저귀가 계속해서 말했다.

"어차피 이곳은 똥통이고, 자네들은 똥이니 말일세. 똥파리들이 똥 냄새 맡고 똥통으로 모여들면 그때 한 방에 다 해치워 버리는 거지. 그러니 마음 푹 놓고 편히 머물

다가 가게나."

사람들은 그의 말에 고맙다고 대답해야 할지 심사숙고해야만 했다.

그때 오직 화군악만이 웃으며 말을 받았다.

"나중에 우리 형수들 앞에서 그리 말할 수 있다면 그때는 진심으로 존경하겠습니다."

"설마."

저귀가 다시 웃으며 말했다.

"나도 앞뒤 가릴 줄 아네. 우리끼리니까 이런 농담의 대화가 통하는 거지, 어찌 아녀자들 앞에서 할 수 있겠는가?"

그렇게 말한 저귀는 문득 늘어지게 기지개를 켜더니 조그만 눈을 비비며 말을 이었다.

"아주 오래간만에 힘 좀 썼더니 몸살이 날 것 같네. 그럼 난 가서 잘 테니 다 먹고 주방에 가져다 놓게나."

저귀는 어슬렁거리며 주방 안쪽, 제 방으로 들어갔다. 한바탕 폭풍이 지나간 것만 같았다.

"휴우."

만해거사가 고개를 설레설레 흔들었다. 정유도 뭔가 할 말이 있는 것처럼 입을 뻐끔거리다가 다물었다.

강만리는 한숨을 내쉬고는 화제를 돌렸다.

"자자, 다들 식기 전에 먹읍시다. 정말 이곳 꿩국은 일미(一味)니까 말이니까요."

화군악이 중얼거렸다.

"똥통의 꿩국이라……."

"너 진짜 그럴래?"

막 뜨거운 국물을 입에 가져가던 강만리가 그를 돌아보며 화를 냈다.

"일부러 생각하지 않으려고 애쓰는 중인데 굳이 그런 식으로 말을 해야겠나?"

화군악이 짓궂게 웃으며 대꾸했다.

"농담입니다, 농담."

"농담도 때와 장소가 있는 법이다. 두 번 다시 그런 소리 했다가는……."

강만리는 화군악을 노려보다가 포기했다는 듯 길게 한숨을 쉬며 자리에서 일어났다.

"됐다. 나는 들어가서 잘란다."

"아휴, 형님도 참. 농담한 걸 가지고……."

"됐어."

강만리는 화군악의 손을 뿌리치고 이 층으로 올라갔다. 만해거사가 화군악을 나무랐다.

"언제고 그 세 치 혀로 인해서 낭패를 보게 될 게야."

화군악은 억울하다는 표정을 지었다.

"그래도 이 세 치 혀 때문에 뚱보 주인장과 이야기가 잘

되지 않았습니까? 어쨌든 은자림과 건곤가, 그리고 오대가문까지 뚱보 주인장의 손을 빌릴 수 있게 되었으니까요."

"흠, 그럼 넌 그들이 찾아올 때까지 이곳에 머물 생각이더냐?"

"꼭 그런 건 아니지만 아무래도 며칠 더 이곳에 머물러야 하지 않겠습니까? 북해는 갓 태어난 쌍둥이들이 여행하기에는 너무 추운 곳이니까요."

"하기야……."

만해거사는 수긍한다는 듯 입을 다물었다.

태어난 지 하루 이틀 된 갓난아기들에게 여행은 무리였다. 그것도 북해처럼 추운 지방을 여행한다는 건 상상조차 할 수 없는 일이었다.

그러니 최소한 한 달 이상은 이곳에 머물며 갓난아기들이 긴 여행을 할 수 있는 체력을 갖도록 해야 했다.

'한 달이라…….'

다들 비슷한 생각을 하는 것일까. 사람들의 표정이 딱딱하게 변했다. 그리고 탁자 위에는 저귀가 힘들게 구해서 끓인 꿩국이 식어 가고 있었다.

9장.

# 유명촌 사람들

"내가 힘들고 지칠수록
주변을 돌아보고 그들의 노고를 알아주고 그들에게 감사하는 것,
그게 윗사람 된 도리이자 의무라고 할 수 있는 거지."

## 1. 얼음

황무지의 날씨는 실로 기이막측(奇異莫測)하여 좀처럼 내일의 날씨를 예상할 수가 없었다.

며칠 전만 하더라도 천지(天地)가 모두 떠내려갈 정도로 엄청난 폭우가 쏟아진 반면, 어제오늘은 사막의 그것처럼 뜨겁고 메마른 햇빛이 온종일 대지를 뜨겁게 달궜다.

아직 해가 중천에 오르려면 제법 시간이 넉넉한 오전임에도 불구하고 황무지의 햇빛은 머리가 익을 정도로 강렬했다.

그 뜨거운 땡볕 아래, 십삼매와 소홍을 태운 교자는 백 명의 황백(黃伯)과 오백 황객(黃客)의 호위를 받으며 천천히 거친 황무지를 지나고 있었다.

그들은 마치 정해진 목적지가 있는 것처럼 광활한 황무지를 이리저리 헤매지 않고 곧장 방향을 정해 일직선으로 움직였다. 그 행선의 끝자락에는 유명촌이 있었다.

"빠르면 닷새, 아무리 늦어도 칠 일 후면 당도할 것 같습니다."

늙수그레한 노인이 교자 옆에 서서 조심스럽게 말했다.

여덟 명의 건장한 체구의 교자꾼이 멘 교자는 언뜻 보면 마차와 똑같은 외관을 지니고 있었다.

당연한 일이었다. 원래 마차였던 것을 바퀴만 떼고 거기에 두 개의 교간(轎杆:가마채)을 덧대어 만들었으니 교자라 하더라도 마차와 다를 게 거의 없었다.

"너무 늦는 게 아닌가요?"

커다란 교자 안에서 평소답지 않은, 짜증과 불만이 살짝 묻어나는 십삼매의 목소리가 들려왔다.

노인은 허리를 숙인 채 차분한 어조로 대답했다.

"주변 이십여 리까지 이십 개의 척후조를 보내 연락을 나누며 전진하고 있습니다. 또한 워낙 많은 병력의 이동인지라 보급이 끊어지지 않도록 주의하는 중입니다. 게다가 이곳 황무지 날씨가 너무 변덕스럽고 기이막측하여 자칫 무리하다가는 낭패를 볼 수 있습니다.”

이곳 유주의 황무지에는 그들만이 있는 게 아니었다. 은자림과 살막을 비롯하여 건곤가는 물론, 오대가문의 연합군까지 이동하는 중이었다.

주변 경계를 게을리하고 서둘러 이동하다가 행여 그들과 마주치기라도 한다면 그것 또한 낭패였다.

또 보급 문제는 아무리 강조해도 부족하지 않았다. 다른 건 몰라도 먹는 것 하나만큼은 충분해야 했다.

이 인적 없는 황량한 황무지에서 무려 육백 명이 넘는 인원이 먹고 마실 양의 식자재를 구하는 건 생각보다 훨씬 어려운 일이었다.

물론 황백과 황객이라면 열흘 정도는 벽곡단으로 허기를 때우고 새벽이슬로 갈증을 달랠 수도 있었다.

하지만 언제 적과 마주칠지 모르는 상황이었다. 놈들은 최적의 조건 아래에서 부딪친다고 하더라도 승리를 장담할 수 없었다. 하물며 벽곡단과 새벽이슬로 근근이 버틴 황백과 황객이 그들을 당해 낼 리 없었다.

거기에 날씨는 지독했다.

지금도 그렇지만 한낮에는 이동이 불가능할 정도로 뜨거운 햇빛이 작렬했다. 이날 또한 더위가 최고조에 이를 시각이 되면 이동을 멈추고 휴식을 취해야만 했다.

그나마 더위가 물러가고 햇빛이 가라앉는 저녁나절이

되어야 다시 이동을 시작할 수 있었다.

특히 무공을 모르는 십삼매나 예예의 경우에는 비록 교자 안에 있다고는 하나, 찌는 듯한 무더위와 뜨거운 햇빛 아래 몸과 마음을 다칠 수도 있었다.

노인, 무옹에게 있어서는 강만리를 위시한 무림오적의 안전보다는 그녀들의 안위가 더욱 중요했다.

"하아."

십삼매는 답답하다는 듯 한숨을 쉬고는 이내 조금 더 부드러워진 목소리로 말했다.

"알겠어요. 그럼 계속 수고해 주세요."

"최선을 다하겠습니다."

허리 숙인 무옹이 당연하다는 듯이 대답할 때였다. 북서쪽에서 서너 개의 신형이 빠른 속도로 달려왔다.

교자를 호위하고 있던 수백 명의 황계 고수들이 한순간 긴장했다가, 그들이 백여 장 안쪽으로 다가오자 이내 경계의 빛을 풀었다. 척후를 나갔던 이십 개 조 중 한 조가 귀환하는 중이었다.

척후조는 가장 몸이 날래고 경공술과 은신술이 뛰어난 한 명의 황백과 네 명의 황객으로 구성되어 있었다. 지금 달려온 이들은 모두 두 명의 황객으로, 조장이라 할 수 있는 황백과 다른 두 명의 황객 모습이 보이지 않았다.

무옹이 가늘게 눈을 뜨고 그들을 바라보았다. 단숨에

백여 장의 거리를 달려와 무옹 앞에 이른 두 황객은 꾸벅 허리를 숙이며 입을 열었다.

"예서 북서쪽으로 십오 리 떨어진 황무지에서 오대가문의 연합 세력과 북방흑제의 무리가 조우하는 광경을 목격했습니다."

"조장과 다른 두 명은 약 이삼 리 거리를 두고 계속해서 주시 관찰 중입니다."

무옹은 고개를 끄덕인 후 천천히 입을 열었다.

"그들의 수는?"

"최소 사백 명은 넘는 것 같습니다. 그 선두에 있는 이들 중 확인된 이는 멸절사태와 고목대사 이 둘 정도입니다."

"멸절사태라……."

무옹은 수염을 쓰다듬으며 중얼거렸다.

고목대사는 금해가의 식객 중 수장이니 금해가를 대표해서 참가할 수 있었다.

하지만 멸절사태는 달랐다.

그녀는 아미파의 장로였으며, 태극천맹 원로회의 주요 인물이었다. 그녀가 오대가문의 무리와 함께 움직였다는 건 태극천맹이나 원로회도 오대가문과 뜻을 같이한다는 의미일까?

그건 생각보다 훨씬 중요한 사안이었다.

"그건 아닐 거예요."

교자 안에서 십삼매의 침착한 목소리가 들려왔다.

"악양부에서 무정검왕이 중상을 입고 홍염철검을 비롯한 그녀의 동료들이 목숨을 잃었으니, 그 복수를 하기 위해서 독단적으로 움직이고 있는 걸 거예요."

"저 또한 아무래도 그럴 공산이 크다고 생각합니다. 하지만 천려일실(千慮一失)의 경우도 있으니 확실하게 확인하는 게 나을 것 같습니다."

"그렇게 하세요."

"명을 따르겠습니다."

무옹은 수하들 중 몇몇을 지목했다. 지목을 받은 열 명의 황백이 앞으로 걸어 나왔다. 무옹이 지시를 내렸다.

"그곳으로 가서 정확한 인원과 소속, 그리고 지휘부의 면면을 확인하고 연락을 취하도록 하라."

"명을 받습니다."

열 명의 황백은 두 명의 황객들에게 그 정확한 위치를 확인하고는 곧바로 지면을 박차고 경공술을 펼쳤다. 그들의 신형이 순식간에 시야에서 사라졌다.

"그럼……."

무옹은 고개를 들어 하늘을 올려다보았다. 눈이 부신 태양이 머리 꼭대기에서 화염을 내뿜듯 타오르고 있었다.

"잠시 쉬도록 하겠습니다."

"그리하세요."

십삼매의 허락을 받은 무옹은 곧 수하들에게 지시를 내렸다.

수하들은 신속하게 움직였다. 그들은 교자를 지면에 내린 다음 그 주변으로 네 개의 나무 기둥을 세웠다.

그리고 이내 커다란 차양(遮陽)을 씌워서 햇빛을 가리고 그늘이 지게 했다. 꽤 여러 번 해 온 듯한 아주 날렵하고 매끄러운 일솜씨였다.

교자의 문이 열리고 십삼매와 소홍이 내려섰다. 기다렸다는 듯 수하들이 천과 나무로 만들어진 의자와 탁자를 대령했다.

그녀들이 자리에 앉자 세 명의 황객이 나뭇조각과 천을 이용하여 만든 커다란 부채를 들고 바람을 일으켰다.

"정말 힘드네요."

소홍이 지친 듯 황객이 가져온 가죽부대에 담긴 물을 마신 후 고개를 설레설레 흔들며 중얼거렸다. 십삼매가 부드럽게 웃으며 말했다.

"그러니까 고생한다고 따라오지 말라고 했잖아?"

"하지만 고생도 해 봐야잖아요? 그리고 사실 이 정도는 고생 축에도 들어가지 않는다는 거 잘 알아요."

소홍은 차양 밖, 뙤약볕 아래에서 부지런히 움직이는

사람들을 쳐다보며 말했다.

"가마에 앉아서 느긋하게 이동하고 물과 음식은 마음껏 먹고 이렇게 그늘에서 편히 앉아 쉬면서 고생 운운하는 건, 그야말로 저분들에게 욕먹을 일이겠죠."

"알면 다행이고."

십삼매는 여전히 부드러운 어조로 말했다.

"이 여정이 피곤하고 힘든 건 당연하지. 유주의 황무지는 많은 경험을 가진 여행객들도 힘들어 하는 곳이고, 또 무엇보다 무공을 익히지 않은 이에게는 더더욱 힘든 곳이니까. 그러니 힘들고 피곤한 건 어쩔 수 없는 거야. 아, 고마워요."

십삼매는 두 그릇의 산매탕을 가지고 온 황객에게 빙긋 미소를 지어 보이고는 말을 이었다.

"하지만 내가 힘들고 피곤하다고 해서 주변 사람들의 노고를 몰라 주고 투덜거리고 짜증을 내면서 주변을 괴롭히는 것처럼 미련 맞은 일이 없지. 밑의 사람들에게 신뢰와 존경을 받을 수 없으며 스스로 자신의 가치를 깎아내리는 어리석은 행동이야."

십삼매는 새콤달콤한 산매탕 한 모금으로 갈증을 달랜 다음 계속해서 말을 이어 나갔다.

"내가 힘들고 지칠수록 주변을 돌아보고 그들의 노고를 알아주고 그들에게 감사하는 것, 그게 윗사람 된 도리

이자 의무라고 할 수 있는 거지.”

소홍은 그녀의 말을 경청하면서 산매탕 그릇을 들다가 깜짝 놀랐다. 놀랍게도, 그리고 믿을 수 없게도 그 산매탕에는 어디서 구했는지 도저히 알 수 없는 얼음이 동동 띄워져 있었던 것이다.

십삼매가 그런 소홍을 보고 빙긋 웃으며 말했다.

“정말 감사하고 고마워해야 할 노고인 거지.”

그때였다. 무옹이 소리 없이 다가와 십삼매의 옆에서 허리를 숙이며 귀엣말을 건넸다.

“북동쪽에서 낯선 자들이 다가오고 있다는 보고입니다.”

십삼매는 침착하게 산매탕 그릇을 내려놓으며 소곤거렸다.

“거리는요?”

“대략 이십여 리, 매우 빠른 속도로 이동 중이라고 합니다. 방향을 보건대 유명촌 쪽에서 온 것 같습니다.”

거기까지 보고한 무옹은 살짝 망설이다가 말을 이었다.

“대략 오륙십 명 정도의 무리인데, 그 행색으로 보건대 아무래도 살막의 살수들이 아닌가 하는 보고입니다.”

“살막이요?”

십삼매의 눈빛이 가늘어졌다.

유명촌과 살막.

설마 강만리에게 무슨 일이라도 생긴 걸까.

그녀가 빠르게 지시를 내렸다.

"사람을 보내 그들을 잡아 오세요. 모두 죽여도 상관없지만, 무슨 일이 있었는지 상황은 알고 싶어요."

"제가 직접 가 보겠습니다."

무옹은 허리를 편 후 자리를 떴다.

그가 함께 움직일 수하들을 선별하는 동안 십삼매는 가만히 산매탕 그릇을 내려다보고 있었다.

어느새 산매탕의 얼음은 다 녹고 사라져 보이지 않았다.

## 2. 침입자들

강(江)의 본래 의미는 장강(長江)을 가리켰고 하(河)는 곧 황하(黃河)를 뜻했다.

강은 곧 크고 곧으며 반듯한 물줄기를 의미했고, 하는 굽이지고 구불구불한 물줄기를 뜻했다. 다시 말하자면 황하(黃河)는 굽이지고 구불구불한 누런 물줄기라는 의미라 할 수 있었다.

대륙에서 가장 먼 서쪽, 청해(青海)와 곤륜산(崑崙山)

이 있는 타감(朶甘: 청해성)에서 시작된 물줄기는 대륙의 북쪽을 동서로 가르며 구불구불 끊이지 않고 이어지니, 무려 그 길이가 십사만 리가 넘었다.

곤륜산에서 시작된 황하의 물줄기는 곧 북으로 크게 휘돌아서 대륙의 북쪽, 몽골의 남쪽 경계를 따라 구불구불 흐르다가, 섬서성(陝西省)과 산서성(山西省)의 경계를 남북으로 가르고 남하한다.

산서성의 서남 모서리, 왼쪽으로는 황하가 남북으로 흐르고 오른쪽으로는 속수(涑水)와 만만하(灣灣河)가 흐르는 땅. 남쪽으로는 중조산의 산맥이 높고 험준한 천연장벽을 이루고 있는 바로 그 영제현(永濟縣)에 거대한 성(城)이 자리 잡고 있었다.

수만 평 대지를 아우르는 성벽이 있고, 성벽 안쪽에는 수백 채의 크고 작은 전각들이 세워져 있었다. 하나의 마을이라고도 부를 수 있는 대장원(大莊園), 바로 그곳이 당금 천하를 지배하는 오대가문 중 하나인 천왕가(天王家)의 본산이었다.

상주 인원만 하더라도 수만 명에 달했으며 그중 무공을 익힌 자는 만 명이 넘었으며 강호의 절정 고수라 불릴 만한 이들의 수도 천 명이 훌쩍 넘는, 그야말로 난공불락(難攻不落)의 요새(要塞)라고 할 수 있는 곳이었다.

하지만 언제나 의외의 일은 발생하고, 또 생각하지도

못했던 돌발적인 상황이 일어나는 게 세상의 이치였다. 그날 밤의 천왕가 본산이 그러했다.

수백 명이 철통처럼 경비를 선 가운데, 그 천왕가 본산의 벽을 뛰어넘는 자들이 있었다. 본산을 에워싼 벽의 높이는 무려 십여 장, 그 높이의 장벽을 단숨에 뛰어넘는 경공술 하나만으로 이 침입자들의 무위가 얼마나 대단한지 미뤄 짐작할 수가 있었다.

그러나 그 대단한 침입자들은 불과 반각도 안 되어 천왕가의 경계망에 의해 발각되었다.

"적이다!"

"기습이다!"

침입자들이 넘어간 벽 안쪽에서 요란한 함성과 고함이 터졌다. 동시에 폭죽이 쏘아져 밤하늘을 환하게 밝히며 침입자들의 위치를 찾아냈다.

순식간에 수백 명의 무사들이 쏟아져 나와 침입자들을 포위한 가운데, 장원 곳곳에 세워진 망루(望樓)에 설치되었던 쇠뇌가 쉬지 않고 침입자들을 향해 쏘아졌다.

결국 침입자들은 그 자리에서 목숨을 잃었다. 아무리 대단한 무위를 지녔다 할지라도 천왕가 본산을 침입하는 건 무리였던 것이다.

그렇게 이날의 돌발적인 상황이 끝나는가 싶었다.

그러나 그게 시작이었다. 모든 경비 무사들의 시선이

침입자들에게 집중된 사이, 그와 반대쪽 장벽을 뛰어넘는 또 다른 침입자들이 있었다.

불과 네 명뿐인 침입자는 소리도 없이 경비 무사들의 목을 긋고 사혈(死穴)을 짚었다. 순식간에 이삼십 명의 경비 무사가 목숨을 잃었다.

그것을 시작으로, 네 명의 침입자는 거침없이 천왕가 본산을 헤집기 시작했다. 천왕가 외원(外院)의 경비는 속절없이 뚫렸다.

침입자들이 본원(本院)으로 들어서자 백여 명의 무인들이 그 앞을 가로막았다. 그들 모두 이른바 당경 이상의 무위를 지닌 고수들이었지만, 네 명에 불과한 침입자는 마치 어린아이 손목 비트는 것처럼 간단하고 쉽게 그들의 방어진을 뚫고 내원(內院)으로 들어섰다.

내원의 경비를 책임지고 있는 이들은 노경 이상, 심지어 구파일방의 장문인 급에 해당하는 무위를 지닌 절정의 고수들이었다.

그런 절정 고수들 이십여 명이 앞을 가로막고 뒤에서는 당경급 고수 칠팔십 명이 달려들었지만, 네 명의 침입자는 전혀 두려워하지 않았다.

"좋다! 어디 밤새도록 놀아보자꾸나!"

복면으로 얼굴을 가린 침입자 중 한 명이 크게 소리치며 날뛰기 시작했다.

"누가 많이 죽이는지 내기해요, 우리! 내가 이기면 할아버지들에게 한 가지씩 명령을 내릴 겁니다!"

아직 나이가 어린 듯한 낭랑한 목소리에 늙수그레한 목소리가 코웃음과 함께 이어졌다.

"헛소리! 어찌 우리가 네 명령을 듣는단 말이더냐?"

"설마 내기에서 날 이길 자신이 없나요?"

"그럴 리가!"

"그럼 해요! 정 불안하면 할아버지들 모두가 죽인 수를 합쳐도 상관없어요!"

"흥! 나 혼자 해도 충분하다! 네놈보다 두 배는 많이 해치울 테니까!"

"좋아요! 그럼 지금부터 시작입니다!"

나이 어린 침입자는 곧바로 몸을 돌려, 본원 쪽에서 달려오던 무사들을 향해 뛰어들었다.

"그건 반칙이다!"

졸지에 그와 내기하게 된 늙은이의 목소리가 다급하게 울려 퍼졌다.

"양 열 마리를 죽이는 것보다 늑대 한 마리를 죽이는 게 훨씬 더 힘든 일이다!"

그는 정면에서 덤벼드는 절정 고수들과 맞서 싸우며 더욱 크게 소리쳤다.

"죽인 숫자로 하지 말자! 죽인 자들의 무공이 얼마나

대단한지를 놓고 겨루자!"

어린 목소리가 쾌활하게 들려왔다.

"그런 게 어디 있어요? 처음부터 누가 많이 죽이나 하는 내기였잖아요? 어라? 벌써 열 명이네?"

"젠장!"

늙은이는 몸을 돌려 뒤쪽의 무사들과 싸우려 했지만, 이미 그를 포위하고 있던 내원의 고수들이 가만 놔두지 않았다.

"헛소리들 그만하고 모두 죽어라!"

내원의 절정 고수들은 그렇게 부르짖으며 이 오만하고 방약무인한 침입자들을 향해 살초를 퍼부었다. 기나긴 밤이 지나고 새벽이 올 때까지의 혈투(血鬪)는 그렇게 막이 올랐다.

* * *

호광성 남서쪽 천자산(天子山).

깎아지른 듯한 기암절벽들이 수십수백 개의 송곳들처럼 뾰족하게 서 있는 가운데, 천자산의 봉우리 허리에는 언제나처럼 짙은 운무(雲霧)가 드리워져 있었다.

그 천자산에서 정면으로 보이는 봉우리, 천자가 붓을 던졌더니 거꾸로 박힌 채 그대로 산봉우리가 되었다고 하는 전설이 내려오는 어필봉(御筆峰) 정상.

험하기로는 화산보다 몇 배는 가파르고 오르기에는 촉로(蜀路)보다 열 배는 위험하다는 소리가 있을 정도로 험준한 어필봉 정상에는 거대한 탑군(塔群)이 세워져 있었다.

십여 채에 불과하지만 높이가 오 층에서 십오 층에 이르는 탑처럼 높은 고루(高樓)들이 정상 곳곳에, 그리고 절벽 곳곳에 매달리듯 자리를 잡고 있었다.

이곳이 바로 오대가문 중 하나인 무적가의 본산이었다.

오대가문 중 가장 무위가 강한 고수들의 집합체로 알려진 무적가는 수년 전 단 한 명의 침입자로 인해 가주가 거처하는 곳까지 침범당하는 수모를 겪어야만 했다.

또한 작년에도 대규모 병력이 빠져나간 사이, 수백 명이나 되는 정체불명의 침입자가 불을 지르며 난동을 부리는 바람에 수 채의 건물이 훼손되는 등 크나큰 곤욕을 치러야 했다.

그래서였다.

한 달 전, 공석인 가주의 대리 역할을 맡고 있던 삼숙 제갈천상이 오대가문 전석회의에 참가하느라 백여 명의 호위단과 함께 가문을 비운 후부터 지금까지 무적가는 그야말로 비상 경계를 취하고 있었다.

두 번 다시 침입자들의 발자국이 본산의 땅을 밟지 못하도록 무적가는 남아 있던 모든 인원을 동원하여 어필봉 일대를 삼엄하게 경비했다.

그날, 그러니까 천왕가에 낯선 침입자들이 쳐들어와 밤새도록 살육극(殺戮劇)을 벌여서, 무려 칠십여 명의 사망자를 만들고 도주한 날로부터 채 열흘이 되지 않은 어느 날 밤.

그날 밤도 천자산과 어필봉 일대를 잠식하듯 휘감고 있던 밤안개는 여전히 시야를 하얗게 가두고 공간마저 지우고 있었다.

낮은 신음 두 가닥이 그 밤안개 속에서 희미하게 흘러나왔다. 경비를 서던 무적가 제자들이 제 목이 꿰뚫리는 순간 남긴 신음이었다.

"쯧쯧. 그러면 안 된다니까."

밤안개 속에서 늙수그레한 음성이 새어 나왔다.

"상대가 신음을 흘리거나 비명을 토하게 만든다면 그걸 어찌 기습이라 할 수 있겠느냐? 쥐새끼가 찍! 하고 죽으면 다들 그곳을 돌아보는 법이다. 그러니 어떤 소리도 나지 않게끔 해치우는 게 기습의 첫 번째 단계라 할 수 있다."

"그러니까 나는 기습이라는 게 싫다니까."

그러자 소년의 볼멘 목소리가 뒤를 이었다.

"왜 나 정도 되는 실력을 지닌 고수가 이렇게 쥐새끼처럼 은밀하게 다녀야 하는데요? 이렇게 살금살금 다가가 하나씩 죽이는 것보다 정면으로 부딪쳐서 모두 죽이면 되는 거 아니에요?"

"허어, 천왕가의 일을 그새 잊었느냐?"

또 다른 목소리가 소년을 나무랐다. 그 역시 상당히 늙은, 하지만 강건한 힘이 넘쳐흐르는 목소리였다.

"그때 네놈은 내기 운운하면서 잔뜩 흥분하다가 등 뒤의 검을 놓치는 바람에 하마터면 목숨을 잃을 뻔했다. 그때 내가 도와주지 않았더라면 넌 지금 여기 없었을 게다."

"아휴, 몇 번이나 말해요? 다 알고 있었다니까요? 그 개자식의 검이 나를 찌르려는 순간, 홱 돌아서며 깜짝 놀라게 해 줄 생각이었다고요."

"됐다. 어쨌든 네놈은 우리에게 목숨을 빚졌고, 또 내기에도 졌다. 그러니 약속한 대로 우리의 지시를 고분고분 따라야 하지 않겠느냐?"

"치잇. 알았다고요. 어쩌자고 내가 내기에서 졌는지……. 그래요. 말씀하세요. 다음 목적지인 철목가 전까지는 약속대로 할아버지들의 지시에 따라서 순순히 움직일 테니까요."

"좋아. 그럼 이제 기습의 두 번째 단계에 관해서 설명해 주마. 우선 상대가 어떤 진형으로 경비를 서고 있느냐를 잘 파악해서……."

그들의 목소리가 짙은 안개에 휘감겨 더는 들리지 않게 되었다. 천자산 어필봉의 밤이었다.

### 3. 산매탕

살막 살수들과의 전투가 끝난 후.

온몸을 지배하고 있던 긴장과 불안, 날 선 투쟁심이 사라지자 화평장 사람들은 이내 취한 듯 잠에 빠져들었다.

유주의 거친 황무지를 건너오면서 독(毒)처럼 몸 안에 차곡차곡 쌓였던 피로와 긴장감이 그제야 풀리기 시작했다.

지친 모든 이들은 아침 늦게까지 잠에서 깨지 못했다. 심지어 유랑객잔의 뚱보 주인장 저귀까지 오래간만에 늦잠을 자고 말았다.

"이런. 너무 늦었는걸?"

저귀는 퉁퉁 부은 눈을 비비적거리며 방을 빠져나왔다. 대청 창밖에서 뜨거운 햇빛이 쏟아져 들어오고 있었다. 오늘도 쪄 죽을 것처럼 무더울 게 분명한 날씨였다.

저귀는 어젯밤 끓여 놓은 꿩국이 쉬지는 않았을까 걱정

하며 몸을 돌렸다.

그때였다. 누군가 이 무더운 날씨에 웃통을 벗고 수련하는 모습이 언뜻 그의 시야에 스쳤다.

“음?”

저귀는 설마 하는 표정을 지으며 문을 열고 밖으로 나갔다.

역시였다. 뜨거운 땡볕 아래, 담호가 웃옷을 벗은 채 땀을 뻘뻘 흘리며 칼을 휘두르고 있었다.

“허어.”

절로 탄식이 새어 나왔다.

남들 다 늦잠을 자는 와중에 오직 홀로 일어나 저렇게 땀을 뻘뻘 흘려 가면서 수련에 집중하다니.

잠시 지켜보던 저귀의 눈빛이 기묘하게 반짝였다.

“어라, 저 도법은?”

눈에 익었다. 과거, 이곳 객잔을 이용하던 누군가의 도법과 매우 흡사했다.

저귀는 가만히 기억을 더듬다가 “아!” 하고 저도 모르게 탄성을 흘렸다.

그 소리를 들은 걸까. 집중하여 칼을 휘두르던 담호가 문득 동작을 멈추고 저귀를 돌아보았다. 그는 살짝 얼굴을 붉혔다가 이내 허리를 숙이며 인사했다.

“일어나셨어요?”

"그래. 미안하구나."

저귀는 힐끗 쨍쨍한 하늘을 올려다보고는 다시 담호를 향해 말했다.

"이런 햇빛 아래에서 너무 오랫동안 수련하는 것도 좋지 않다. 들어와서 좀 쉬어라."

"네. 몸 좀 닦은 다음에요."

담호는 순순히 칼을 거두고 벗어 둔 옷을 챙긴 후 뒷마당으로 사라졌다.

저귀는 잠시 생각하다가 대청으로 돌아왔다. 그러고는 주방으로 들어가 불을 지펴 꿩국을 데운 다음, 한 바가지 물을 가지고 지하 창고로 향했다.

잠시 후, 그는 우물 저 깊숙한 곳에서 방금 길어 올린 것처럼 차갑고 시원한 물이 담긴 바가지와 함께 주방으로 들어가 뭔가 뚝딱뚝딱 만들기 시작했다.

간단하게 씻은 담호가 웃옷을 걸치며 대청으로 들어와 자리에 앉자, 때마침 저귀도 대접을 들고 와 탁자 위에 내려놓으며 말했다.

"마셔라."

담호는 저귀가 준 대접을 내려다보다가 깜짝 놀랐다.

"이건 산매탕 아닌가요?"

"그래. 얼음은 없지만 나름대로 시원할 게다. 쭉 마셔라."

담호는 두 손으로 대접을 잡았다. 오싹할 정도의 한기가 손가락을 타고 온몸으로 전해졌다.

천천히 산매탕을 들이켜자 달콤하면서도 새콤하고 차가운 매실의 향이 고스란히 느껴지는 가운데, 목과 몸속이 깨끗하게 씻겨져 내려가는 듯한 기분이 들었다. 절로 몸서리를 칠 정도로 차갑고 강렬한 맛이었다.

"어떠냐?"

"정말 맛있습니다. 시원하고요. 그런데 이 더위에 어떻게 이런 차가운 물을……."

"만년한빙석(萬年寒氷石)이라고 들어 봤느냐?"

"아, 네. 얼어붙을 정도로 차가운 냉기가 흐르는…… 아, 그게 있나요?"

"그래. 너희들이 내려갔던 지하 창고 구석진 곳에 또 다른 문이 있었지?"

"그랬었나요?"

"뭐, 몰랐으면 됐고. 참, 그나저나 말이다."

서서 대화를 나누던 저귀가 갑자기 담호의 맞은편 자리에 털썩 주저앉으며 화제를 돌렸다.

"아까 밖에서 휘두른 칼질 말이다. 그거 자룡의 도법이 아니더냐?"

담호는 머쓱한 표정을 지으며 순순히 고개를 끄덕였다.

"네, 맞아요. 자룡도법이라고…… 혁 아저씨께서 남긴

도법이에요."

"설마…… 내가 준 선물인가?"

"네. 지하 창고에서 골랐어요."

"허어."

저귀는 답답하다는 듯, 혹은 안타깝다는 듯 한숨을 내쉬며 담호를 바라보다가 다시 입을 열었다.

"창고에 놔둔 물건 대부분 별 볼 일 없는 것들이지만 그래도 잘 고르면 나름대로 쓸만한 걸 찾을 수 있을 텐데."

"이게 가장 좋아요."

담호는 씨익 웃으며 말했다.

"언제고 제가 유명해지면, 나름대로 세상 사람들에게 인정을 받게 되면 제 사부 중 한 분이 바로 혁 아저씨라고 당당히 말할 수 있게끔 해 줄 도법이니까요."

"흐음."

저귀는 팔짱을 낀 채 잠시 생각하다가 불쑥 말을 꺼냈다.

"그 사부 중 한 명이 내가 될 수도 있겠구나."

"네?"

"어라? 내가 심법 하나를 가르쳐 준 걸 기억하지 못하느냐?"

"아뇨, 당연히 기억하고 있죠."

담호는 살짝 당황해하며 말했다.

사실 담호가 익힌 심법의 기초는 오륙 년 전 처음 저귀를 만났을 때 그가 가르쳐 주었다.

그게 어느 문파의 심법인지, 또 어떤 명칭을 가진 심법인지는 알 수 없었지만, 인내심 깊게 꾸준히 수련하라는 저귀의 말에 따라 담호는 지난 오륙 년 동안 한 하루도 빼먹지 않고 심법을 운용했다.

"하지만 그것 하나만으로 사부로 모시기에는 너무 제가 염치가 없는 것 같아서……."

담호가 멋쩍어하며 말하자 외려 저귀가 눈을 가늘게 뜨며 말을 받았다.

"흠, 그 말은 그것 하나만 가르쳐 주고서 사부 운운하는 게 너무 염치없는 행동이라 이거더냐?"

"아, 아뇨. 그런 뜻이 아니거든요."

"됐다. 알겠다. 뭐, 제대로 사부라 불릴 생각이 있다면 제대로 가르쳐 달라 이게 아니더냐?"

"그런 게 아니라……."

"알았다. 그럼 가르쳐 주면 될 게 아니더냐?"

"아니, 그런 게…… 네? 방금 뭐라 하셨어요?"

"제대로 가르쳐 주겠다고 했다. 왜? 내 제자가 되기 싫으냐? 나를 사부로 모시는 게 부끄럽고 뭐 그런 거더냐?"

"아뇨. 그럴 리가 있겠어요? 당연히 사부로 모시고 싶죠."

"그럼 두말할 것 없다."

저귀는 홍시처럼 뺨을 붉힌 채 말했다.

"앞으로 나를 사부로 모시거라."

담호는 느닷없이 전개된 이 상황이 아직도 믿어지지 않는다는 듯, 어안이벙벙한 얼굴로 저귀를 쳐다보다가 불쑥 자리에서 일어나 절을 하려 했다.

"제자 담호가 사부께……."

저귀는 저도 모르게 침을 꿀꺽 삼키며 지켜보았다. 생애 첫 제자의 절을 받는 순간이었다.

그때였다.

"아아, 숙취가 너무 심해!"

"머리가 깨질 것 같다니까."

요란한 소리와 함께 문이 활짝 열리고 유명촌 사람들이 걸어 들어왔다. 깜짝 놀란 저귀는 황급히 손을 뻗어 마침 절을 하려던 담호를 벌떡 일으켜 세웠다.

"응? 왜 그리 얼굴이 빨간데? 자네도 술이 덜 깬 건가?"

호리호리하고 키가 큰 노인이 저귀를 향해 흘흘 웃는 낯으로 물었다. 저귀는 좁쌀만 한 눈을 부라리며 짜증을 냈다.

"이 쓸모없는 늙은이들이 아침부터 무슨 일이야?"

"무슨 일이기는? 하도 머리가 아파서 해장술이라도 마시려고 왔지."

"오호, 꿩국 냄새가 나는데? 좋아. 거기에 술 좀 내오게나."

십여 명의 노인네들은 저마다 자리를 잡고 앉더니 이것저것 주문하기 시작했다. 언뜻 봐도 유명촌에 기거하고 있는 이들 중 절반가량이 객잔에 들른 것이다.

"돈들은? 더는 외상 줄 수가 없다고."

저귀가 끄응 하며 자리에서 일어났다. 노인네들은 껄껄 웃으며 품에서 은자를 꺼내 탁자 위에 올려 두었다.

"어제 소 팔고 돼지 팔고 오리 판 돈이네."

"이제 한동안 자네 구박받지 않고 떳떳하고 당당하게 술을 마실 수 있겠지?"

"외상값으로 먼저 떼고."

저귀는 탁자 주위를 돌아다니며 은자를 거둬들였다. 노인네들이 쳇, 하며 투덜거리다가 문득 담호의 탁자 위에 놓인, 아직 덜 마신 산매탕을 보고는 눈빛이 확 달라졌다.

"음? 저건 산매탕이 아닌가?"

"진짜? 산매탕을 내놨나, 자네?"

"왜 저 아이에게만 특별 대우를 해 주는 건데? 설마 자네…… 어린 남자아이에게 그렇고 그런 감정을 느끼는 건……."

"예끼, 이 노인네들!"

저귀가 발끈하여 소리쳤다.

"아무리 농이라고 해도 입에 담을 말과 담지 못할 말이 있지, 한 번 더 그런 소리 하면 다들 내쫓을 거야!"

그의 한마디에 대청 안은 쥐 죽은 듯이 조용해졌다. 십여 명의 노인은 벙어리처럼 입을 꾹 다문 가운데 힐끗힐끗 저귀의 눈치를 살폈다.

그런 와중에 담호 곁에 앉아 있던 노인 한 명이 은근슬쩍 손을 내밀어 산매탕 대접을 가로채려 했다.

"어딜!"

저귀가 그 어느 때보다 빠르게, 어젯밤 살막 살수들의 뺨을 때릴 때보다도 빠르고 강렬하게 노인의 손을 후려쳤다.

하지만 노인이 더 빨랐다. 노인은 움찔하며 황급히 손을 거둬들였고 저귀의 손바닥은 애꿎은 허공을 내리쳤다.

"허어, 산매탕 고거 조금 남은 거 마시려다가 손이 부러질 뻔했네."

노인이 가슴을 쓸어내리며 투덜거렸다.

10장.

# 사부(師父)와 제자(弟子)

"세상의 모든 일은 어느 한쪽으로 기우는 법이 없다고 배웠어요.
주는 게 있으면 받는 게 있어야 하고
잃는 게 있으면 얻는 게 있어야 한다는 거죠.
그렇게 저울의 양쪽 추가 균형을 잃지 않고 공평해야만
서로 좋은 관계를 유지할 수 있다고 말이죠."

## 1. 소란 피운 벌

가만히 지켜보고 있던 담호의 눈이 휘둥그레졌다.

그는 어젯밤 저귀가 살막의 살수들을 어떻게 해치웠는지 똑똑히 지켜보았다. 그래서 담호는 저귀가 얼마나 강한지 잘 알고 있었다. 심지어 어쩌면 그가 세상에서 가장 강한 인물일지도 모른다는 생각이 들 정도였다.

그런데 지금 저 유명촌의 별 볼 일 없어 보이는 노인은 아주 간단하고 단순하게 저귀의 주먹을 피한 것이다. 그것도 정작 노인은 대수롭지 않은 표정이었고, 저귀 또한 늘 있었던 일처럼 전혀 놀라거나 당황하지 않았다.

"한 번만 더 훔쳐 먹을 생각해 봐. 그때는 진짜 가만 놔두지 않을 테니까."

저귀는 커다란 주먹을 불끈 쥔 채 허공에 대고 휘두르며 그렇게 엄포를 놓았다.

그러자 말라깽이 노인은 항복이라는 듯 두 손을 높이 들며 말했다.

"장난한 것 가지고 너무 야박하게 굴지 말게."

"흥!"

저귀는 코웃음을 친 후 주방으로 걸어갔다. 그 뒷모습을 보면서 말라깽이 노인이 은근슬쩍 담호의 탁자를 향해 손을 뻗었다.

순간 마치 뒤통수에 눈이라도 달린 듯 저귀가 홱 돌아보았고, 노인은 황급히 손을 거두고는 휘파람을 불며 딴청을 부렸다.

"흥!"

저귀가 더 크게 코웃음을 치고는 주방으로 들어갔다.

"정말 생긴 건 미련한 곰인데, 눈치 하나는 여우나 너구리 같다니까."

노인이 투덜거렸다.

"다 들린다."

주방 안에서 저귀의 묵직한 목소리가 들려왔다. 노인은 이내 자라목이 되었다.

담호는 저도 모르게 피식 미소를 흘렸다. 노인이 담호

를 돌아보며 눈을 부라렸다.

"웃어? 지금 날 보고 웃는 게냐?"

담호는 아차 싶어서 얼른 두 손으로 대접을 들고 노인에게 건네며 말했다.

"드시죠."

노인의 눈이 휘둥그레졌다.

"응? 진짜? 진짜 먹어도 되나?"

"물론입니다. 다 드셔도 돼요."

"허어, 성의를 거절하는 것도 예의가 아니니까."

노인은 빼앗듯이 대접을 받아 들고는 단숨에 꿀꺽꿀꺽 산매탕을 들이켰다. 아니, 들이켜려 했다. 하지만 그는 산매탕을 제대로 마시지 못한 채 옆자리의 노인에게 그릇을 빼앗겨야 했다.

"혼자 먹으면 배탈 나네."

염소수염의 노인은 그렇게 말하며 단숨에 산매탕을 비우려 했다.

그러나 이번에는 맞은편 자리에 앉아 있던 노인이 곰방대로 그릇을 툭 쳐올리는 바람에 단 한 모금도 마시지 못했다.

딸기코의 노인은 재차 곰방대를 휘둘러 허공 높이 떠오른 대접을 낚아챘다. 대접은 마치 채찍에 휘감긴 것처럼 곰방대에 얹힌 채 딸기코 노인의 손에 들어왔다.

"어딜!"

"어허!"

염소수염의 노인과 말라깽이 노인이 동시에 소리치며 손을 뻗어 대접을 가로채려 했다. 딸기코 노인은 대접이 든 왼손을 뒤로 숨기며 오른손의 곰방대로 두 노인의 손등을 후려쳤다.

따딱!

요란한 소리와 함께 두 노인은 황급히 손을 거둬들였다.

"욕심을 부리면 벌 받는 법이야."

딸기코 노인은 껄껄 웃으며 산매탕을 마시기 위해 왼손을 거둬들였다. 하지만 이내 그의 눈이 휘둥그레졌다.

"응?"

손에 있어야 할 대접이 자신도 모르는 사이에 사라진 것이었다.

딸기코 노인은 황급히 뒤를 돌아보았다. 아니나 다를까, 뒤쪽 자리에 앉아 있던 세 명의 늙은이가 산매탕이 담긴 대접을 두고 옥신각신 싸움을 벌이고 있었다.

"그건 내 산매탕이다!"

딸기코 노인이 버럭 소리치며 달려들었다.

"무슨 소리!"

"원래 내 거거든!"

염소수염과 말라깽이 노인들도 고함치며 뛰어들었다.

그러자 다른 노인들도 그 싸움에 합류했다. 이내 산매탕 반 그릇을 두고 난장판이 벌어졌다.

“뭣들 하는 거야?”

주방에서 저귀가 고개를 내밀며 버럭 소리쳤다.

순간 언제 난장판이 벌어졌냐는 듯, 언제 한데 뒤엉켜 싸움을 벌였냐는 듯 계속해서 그 자리에 있었던 것처럼 노인들은 순식간에 자리로 돌아와 태연한 표정을 지은 채 앉아 있었다.

저귀의 목소리가 사뭇 낮아졌다.

“마지막으로 경고하는데, 한 번 더 시끄러운 소리가 들리면 다들 내쫓을 테니 그리 알아 두라고.”

그는 소름이 오싹 돋는 눈빛으로 노인들을 훑어보고는 다시 주방 안으로 사라졌다.

노인들이 한숨을 쉬었다. 말라깽이 노인이 낮은 목소리로 투덜거렸다.

“하여튼 힘만 무식하게 세 가지고, 할 줄 아는 게 협박밖에 없다니까.”

맞은편에 앉아 있던 딸기코 노인이 곰방대에 불을 붙이며 나무라듯 말했다.

“조심하게. 저귀 목소리가 낮아졌다는 건 진짜 화났다는 거니까.”

“그야 나도 잘 알지. 그걸 알기 때문에 이렇게 소곤거리고 있는 게 아닌가?"

"뭐, 여튼…… 아, 그나저나 산매탕은 누가 차지한 게야?"

딸기코 노인은 뒤늦게 생각났다는 듯 주위를 둘러보며 물었다. 그러자 구석진 자리에 앉아 있던 노파가 히히 웃으며 빈 대접을 높이 쳐들었다.

딸기코 노인은 노파를 보고는 한숨을 쉬며 고개를 설레설레 흔들었다.

"하여튼 결국 모든 게 저 여편네 것이 되니까. 당해 낼 재간이 없지."

노인은 포기했다는 듯 곰방대를 연신 뻐끔거리며 피우다가 문득 담호를 돌아보고는 싱긋 웃으며 입을 열었다.

"어쨌든 고맙네. 자네가 준 산매탕 덕분에 아주 오래간만에 힘을 썼으니 말이야. 사실 이 날씨에 산매탕을 양보한다는 게 그리 쉬운 일이 아닐 텐데 말이지."

두 눈을 휘둥그레 뜬 채 그간 상황을 지켜보던 담호는 퍼뜩 정신을 차리고 고개를 숙였다.

"별것 아닙니다. 그나저나 다들 그렇게까지 좋아하실 줄 몰랐습니다."

"허허, 원래 나이 들면 다들 달콤하고 새콤한 걸 좋아하기 마련이지."

딸기코 노인의 뒤를 이어 말라깽이 노인이 말했다.

"그래. 나도 고맙다는 말을 아직 하지 않은 것 같구나.

고맙다, 아가야."

담호가 겸양을 취하기도 전에 옆자리에 앉아 있던 염소수염의 노인이 딴죽을 걸었다.

"어허, 다 큰 청년을 두고 아가 운운하는 건 무례가 아닌가?"

말라깽이 노인이 눈을 부라렸다.

"내 눈에는 아직 아가로 보이네."

"그만큼 자네는 늙은 게야. 안 그런가, 젊은 친구?"

염소수염의 노인이 웃는 낯으로 물었다. 담호는 어찌할 바를 모르다가 자리에서 벌떡 일어나 두 손을 잡고 허리를 숙이며 제 소개를 했다.

"사천 성도부의 담호가 여러 할아버지, 할머니들께 인사 드립니다. 앞으로 잘 부탁합니다."

염소수염이 껄껄 웃으며 말을 받았다.

"허허, 알고 보니 담 소협이셨구먼그래. 이 늙은이는 미염촌로(美髯村老)라고 하네. 멋진 수염을 가진 할아버지라고 불러 주면 좋겠네."

"염소수염을 가지고 미염은 무슨 미염."

말라깽이 노인이 이죽거렸다. 그러고는 웃는 얼굴로 담호를 바라보며 말을 이었다.

"아가야, 이 할아비는 공(孔) 씨(氏)라고 불린단다. 그러니 공 할아버지라고 불러 주면 된단다."

그러자 딸기코 노인도 제 소개를 했다.

"나는 단봉거사(短棒居士)라고 하지. 아, 몽둥이가 짧다는 건 그 몽둥이가 아니라 이놈을 뜻하는 게야."

노인은 손에 쥔 곰방대를 들어 보이며 말했다.

그게 시작이었다.

대청에 모여 있던 유명촌의 노인들은 한 사람씩 돌아가며 담호를 향해 제 이름, 혹은 성, 혹은 별명을 밝혔다. 담호는 혹시나 헷갈리거나 잊을까 봐 정신을 집중하여 그들의 소개에 귀를 기울였다.

노인들은 대부분 자신의 외모나 특징을 딴 별호를 가지고 있었다.

곰방대의 딸기코 노인이 단봉거사인 것처럼, 혹은 주름투성이에 째진 눈, 넓은 코, 뻐드렁니, 검버섯과 쥐젖이 잔뜩 있는 노파의 별명이 화화선녀(華花仙女)인 것처럼, 그들은 자신의 외양을 희화화(戱畫化)하는 별호에 대해 아무 거리낌 없이 당당하게 밝혔다. 외려 듣고 있던 담호가 안절부절못했다.

대충 그렇게 서로의 소개가 끝날 무렵, 저귀가 커다란 쟁반에 찡국이 담긴 대접들을 탑처럼 쌓아서 가지고 나왔다. 그는 솜씨 좋게 대접들을 노인들에게 나눠 주었다.

"술은?"

염소수염 미염촌로가 절실한 눈빛으로 저귀를 쳐다보

며 물었다. 저귀는 팔짱을 끼며 말했다.

"술은 없다, 소란 피운 벌로."

2. 공평(公平)

이내 노인들이 아우성을 치기 시작했다.

"그런 게 어디 있나? 객잔에 술이 없으면 그게 다관(茶館)이지, 객잔이냐?"

"벌은 벌이고, 술은 술인 게지. 그걸 하나로 묶는 몰상식한 일이 어디 있더냐?"

"아니, 술을 판다고 돈까지 거둬 갔잖아! 그럼 돈이라도 내놓든가!"

노인들은 저마다 한 소리씩 했다.

저귀는 팔짱을 낀 채 묵묵히 듣고 있다가 소란이 한풀 꺾일 무렵 천천히 입을 열었다.

"불만 있으면 나가."

노인들의 입이 댓 발이나 튀어나왔다.

"돈? 돌려줄 테니 두 번 다시 이곳에 발 들일 생각하지 말고."

노인들이 이내 활짝 웃는 낯으로 앞다퉈 말했다.

"돈 이야기는 공 씨 늙은이가 꺼냈네. 우리는 그깟 돈,

하나도 아깝지 않네."

"맞는 말이네. 그간 밀린 외상값만 하더라도 어딘가? 아직 외상값도 제대로 갚지 못했는데 무슨 돈을 돌려받겠나? 나는 절대 그런 못된 심보를 가지고 있지 않네. 이야, 그나저나 역시 저귀의 꿩국이 최고라니까! 이 감칠맛 좀 보게나."

노인들은 너 나 할 것 없이 저귀를 칭송했다. 그의 넓은 도량과 뛰어난 음식 솜씨, 곰처럼 듬직한 외모, 같은 남자라도 반할 무뚝뚝한 성격, 커다란 손과 발, 하다못해 좁쌀처럼 조그만 두 눈까지 칭송의 대상에 올랐다.

그렇게 되자 말라깽이 노인, 공 씨는 안색이 새파랗게 질린 채 당황하여 식은땀까지 흘렸다. 무뚝뚝한 얼굴로 노인들의 찬사를 받던 저귀가 천천히 그를 돌아보았다.

어찌할 바를 몰라 하던 공 씨는 다급한 얼굴로 말했다.

"무, 물론 나도 동의하네. 그간 자네에게 빚진 걸 생각하면 우리가 죽을 때까지 자네의 하인이 되어 수발을 들고 명령을 받아도 당연할 걸세. 그렇지 않나?"

공 씨는 다른 노인들을 돌아보며 동의를 구했다.

하지만 미염촌로나 단봉거사 모두 그의 시선을 외면하며 어색하게 고개를 돌렸다. 다들 '아무리 그래도 그 정도까지는…….' 하는 듯한 표정들이었다.

동료들이 그렇게 자신을 외면하자 더욱 안달이 난 공 씨는 마른침을 꿀꺽 삼키며 선언하듯 말했다.

"나 공념(孔念)은 유명촌 동료들을 대표하여 말하지. 자네에게 진 빚을 갚기 전에는 우리 모두 두 번 다시 술을 입에 대지 않겠다고 말일세."

공 씨, 공념의 말에 노인들은 깜짝 놀랐다. 그리고 앞다퉈 손을 내저으며 소리쳤다.

"아, 나는 아니네."

"왜 공념 저 늙은이가 우리를 대표하는데?"

"저 늙은이 혼자 그러라고 하게! 우리는 여전히……."

"여전히 외상 술을 마시겠다?"

저귀가 휙 노인네들을 둘러보면서 낮은 목소리로 으르렁거리듯 물었다. 순간 노인들은 황급히 입을 다물었다. 싸늘한 침묵이 그들의 입술 위로 내려앉았다.

저귀는 차가운 눈빛으로 노인들을 훑어보며 천천히 말했다.

"공 영감의 말대로, 외상 빚을 갚기 전에는 단 한 잔의 술도 팔지 않을 것이니 그리 알도록."

노인네들은 마치 하늘이 무너진 듯한 충격에 눈을 휘둥그레 떴다가 이내 크게 낙심한 듯 곧 울 것 같은 표정을 지었다. 그게 얼마나 슬퍼 보였는지 담호가 저도 모르게 자리에서 일어나 그들을 위로할 뻔했다.

"아니다. 괜한 행동 하지 마라. 다 속임수다."

저귀가 담호를 향해 경고하듯 말했다. 담호는 움찔거

리며 다시 자리에 앉았다. 울상을 짓던 노인들 중 누군가 낮은 소리로 투덜거렸다.

"쳇, 더는 속지 않는군."

저귀는 다시 노인들을 돌아보며 입을 열었다.

"꿩국, 먹지 않을 거면 다시 가져가고."

노인들이 다급하게 말했다.

"아니네. 왜 안 먹겠나 이 맛있는 걸 말일세."

그들은 허겁지겁 국물을 떠먹고 고기를 먹으며 연신 저귀에 대한 공치사를 늘어놓았다.

저귀는 "흥." 하고 코웃음을 치며 계산대로 돌아가 앉았다. 노인들은 쉬지 않고 숟가락을 놀리는 가운데 알게 모르게 공념을 노려보며 눈치를 줬다.

좌불안석이 된 공념은 난감한 표정을 지으며 머리를 긁적이다가 불쑥 담호를 돌아보며 소곤거렸다.

"도와다오."

"네?"

느닷없이 말을 건네온 공념의 말에 담호는 깜짝 놀라며 어리둥절한 표정을 지었다.

"뭘요?"

"저 뚱뚱보의 화가 풀리도록 도와다오."

"그걸 제가 어떻게……."

"에이, 왜 그러느냐? 뚱보 주인장이 너를 끔찍하게 아끼는 걸 다 알고 있는데 말이다. 그렇지 않고서야 저 자린고비 같은 돼지가 공짜로 그렇게 시원한 산매탕을 만들어 네게 바치지 않았을 테니까.”

담호의 귓불이 살짝 달아올랐다. 공념은 최대한 불쌍한 표정을 지어 보이며 애원하듯 말을 이었다.

“한번 쭈욱 둘러보아라. 다들 죽을 날이 얼마 남지 않은 늙은이들이다. 가진 것도, 이룬 것도 하나 없는 비렁뱅이 삶을 살아온 자들이다. 그나마 남은 삶, 끝까지 버티고 살아가는 힘이 되어 주는 게 술이다. 그 술을 마시지 못한다는 건 죽은 거와 다를 바가 없단다. 살아 있어도 살아 있는 게 아니라는 것이야. 그러니 제발, 이 가련하고 불쌍한 늙은이들의 마지막 삶을 위해서라도 네가 저 뚱보 녀석에게 가서 잘 이야기해 주면 안 되겠느냐?”

공념은 쉬지 않고 빠른 어조로 말을 이어 나갔다. 담호의 순진하게 잘생긴 얼굴에 노인들에 대한 애처로운 감정이 고스란히 묻어났다.

공념은 속으로 ‘역시 마음 약한 놈이라니까.’ 하면서 겉으로는 순박한 눈빛으로 담호를 바라보며 금방이라도 눈물을 흘릴 듯한 표정을 지었다.

담호는 저도 모르게 다른 노인들을 둘러보았다.

흥미진진한 얼굴로 공념과 담호를 번갈아 바라보던 노인들은 담호가 시선을 자기네 쪽으로 돌리자, 마치 약속이라도 한 듯 처연하고 기력 없는 표정을 지으며 한숨을 길게 내쉬었다.

"에구, 늙으면 죽어야지."

"살아서 뭔 낙을 누리겠다고 이리 버티고 사는지 원."

노인들은 담호 들으라는 듯이 저마다 끙끙 앓는 소리를 흘렸다.

담호는 저도 모르게 길게 한숨을 내쉬었다. 갈등과 번민으로 인해 그의 눈빛이 흔들리고 있는 걸 노인들은 곁눈질로 확실히 쳐다보았다.

'하기야 무섭겠지. 우리도 무서운데. 그 무서운 저귀에게 가서 이 불쌍한 노인네들에게 술을 달라고 부탁하는 게 얼마나 두려울꼬?'

'쯧쯧. 공 늙은이가 아주 못된 짓을 한 게야. 저리 순진하고 순박한 아가에게 단단히 덤터기를 씌울 작정이라니.'

'뭐, 우리야 굿이나 보고 떡이나 먹으면 되지만…….'

늙은이들은 다들 그런 식으로 생각하면서 담호의 다음 행동을 기다렸다. 아주 재미있는 연극 한 편을 보고 있는 듯한 얼굴들이었다.

담호는 난감한 얼굴을 한 채 고민하다가 겨우 마음을 정한 듯 공념을 바라보며 입을 열었다.

"제게 아무런 이득이 없는 일인데요."

"그렇지? 역시 도와줄…… 응? 지금 뭐라 했느냐?"

공념이 눈을 동그랗게 떴다. 담호는 여전히 순진한 얼굴로 말했다.

"제가 아무런 이득이 없는 일이라고요."

"이, 이득이라니?"

공념이 말을 더듬었다.

"아직 세상의 더러운 면을 몰라야 하고, 오로지 꿈과 희망으로 반짝여야 할 네가 어찌 그런 극악(極惡)하고 무도(無道)한 단어를 함부로 입에 올리는 것이냐? 이득이라니, 그런 비열한 어른들의 단어는 아직 모르는 게 낫단다."

공념의 말에 담호가 순순히 고개를 끄덕였다.

"아, 확실히 이득이라는 말은 아닌 것 같네요."

"그렇지? 당연한 게다. 그러니……."

"공평(公平)이라는 게 더 나을 것 같아요."

"공평이라니, 그건 또 무슨 귀신 씻나락 까먹는 소리더냐? 그러지 말고 다시 한번 깊게 생각해 보렴."

"깊게 생각했어요."

담호는 공념의 애절한 설득에도 불구하고 전혀 흔들림 없이 차분한 어조로 말을 이어 나갔다.

"세상의 모든 일은 어느 한쪽으로 기우는 법이 없다고 배웠어요. 주는 게 있으면 받는 게 있어야 하고 잃는 게 있으면 얻는 게 있어야 한다는 거죠. 그렇게 저울의 양쪽 추가 균형을 잃지 않고 공평해야만 서로 좋은 관계를 유지할 수 있다고 말이죠.”

공념은 입을 쩍 벌린 채 담호의 이야기를 듣고만 있었다. 담호는 신중한 표정으로 계속해서 말했다.

“물론 할아버지, 할머니들이 얼마나 술을 좋아하시는지 알아요. 마음 같아서는 사(師)…… 저귀 아저씨께 무릎을 꿇고 빌어서라도 금주령을 풀어 드리고 싶어요.”

“그러니까 그렇게 하면…….”

“하지만 그러면 할아버지들과 좋은 관계를 유지할 수가 없게 될 수도 있으니까요. 세상에는 상대방의 선의를 강요하거나 당연한 권리처럼 받아들이는 못된 어른들이 너무 많다고 이야기 들었어요. 그런 어른들에게 속지 말라고, 당하지 말라고 귀에 못이 박히도록 들었으니까요.”

담호는 공념을 비롯한 노인들을 돌아보며 물었다.

“물론 할아버지, 할머니들은 그런 못된 어른들이 아니시잖아요?”

“다, 당연하지. 은혜는 갚을 줄 알고 빚은 돌려줄 줄 아는 게 우리들이니까.”

“그러니까요. 제가 할아버지들을 도와 드리면 그게 빚이 될 거잖아요?”

“그, 그렇지.”

“그 빚을 갚으시겠다면서 뭔가 대단한 걸 주거나 제가 감당할 수 없을 만큼의 은혜를 베풀어 주시는 건 이제 저도 싫거든요. 너무 감당할 수가 없어요."

"누가 그런 몰지각한 짓을 했는데?"

"제 사부요."

"사부?"

"네. 하루 잠깐 손이 비어서 허드렛일을 도와 드렸더니 아주 감당할 수 없을 정도로 커다란 선물을 주시지 뭐예요."

담호의 말에 공념을 비롯한 노인들은 저도 모르게 계산대 쪽의 저귀에게로 시선을 돌렸다. 저귀는 아무것도 모르는 척 무표정한 얼굴로 담호의 이야기를 듣고 있었다.

## 3. 천하제일의 행운아(幸運兒)

담호는 계속해서 말을 이어 나갔다.

"그래서 드리는 말씀이에요. 제가 아무 대가 없이 여러분들의 부탁을 들어 드리면 여러분도 제게 마음의 빚을 지게 될 게 아닌가요?"

"물론 그럴 리가…… 그럴 리가 있겠지."

공념은 떨떠름한 표정을 지으며 얼른 바꿔 말했다. 담호는 순수한 미소를 보이며 말했다.

"그러니까요. 그러니까 제게 상응하는 뭔가를 주신다면 저도 여러분의 부탁을 들어 드릴게요. 저 역시 저귀 아저씨께 부탁하려면 또 그에 상응하는 뭔가를 드려야겠지만 말이에요. 그게 균형이고 공평함이며 서로에게 예를 지키는 일 같아요."

담호의 말은 게서 끝났다.

공념을 비롯한 유명촌 노인들은 서로를 돌아보았다.

간단하게 정리하자면 부탁을 하려면 뭔가를 내놓아라, 이거였다. 대단히 고깝게 들릴 수 있는 말이었다. 그깟 소소한 부탁 하나 들어주기 싫어서 억지를 부리고 있다는 생각이 들 법도 했다.

그러나 담호의 저 세상 물정 하나도 모르는 것처럼 순수한 눈빛과 순진무구한 표정을 보면, 따로 뭔가 이익을 노리고 저리 말한 것으로 보이지는 않았다. 그저 사부와 웃어른들에게 보고 들은 대로, 배운 대로 이야기하고 있는 얼굴이었다.

노인들은 머리를 긁적이거나 수염을 매만지며 난감한 표정을 지었다. 부탁에 상응하는 대가를 달라니, 도대체 뭘 줘야 할지 감을 잡을 수가 없었던 것이다.

그때였다.

"아침부터 뭐가 이리 시끄러워?"

아직 잠에서 덜 깬 듯한 불퉁한 목소리와 함께 강만리가 어기적거리며 계단을 따라 걸어 내려왔다. 그는 길게 하품을 하면서 퉁퉁 부은 눈을 비비다가 대청을 둘러보고는 "어?" 하고 입을 벌렸다.

화평장 식구들이 떠드는 소리인 줄 알고 짜증을 낸 건데, 대청에는 유명촌의 노인들이 대거 몰려와 앉아 있었던 게다.

머쓱한 표정을 지은 강만리는 다시 이 층으로 올라가려다가 문득 홀로 앉아 있는 담호를 발견하고는 반색하며 그리로 걸음을 옮겼다.

강만리는 대청을 가로지르며 노인들을 향해 고개를 까닥이며 인사를 한 후, 끄응 하며 담호의 맞은편 자리에 앉았다.

"너는 잠도 없냐?"

강만리가 재차 하품을 하면서 묻자 담호가 웃는 낯으로 대답했다.

"벌써 정오가 지났거든요."

"그래?"

강만리는 창밖으로 고개를 돌렸다가 그 뜨겁게 작열하는 햇빛에 놀란 듯 황급히 시선을 거둬들였다. 그러고는 탁자에 팔을 괴며 담호에게 낮은 목소리로 소곤거렸다.

"그나저나 무슨 일이 있는 게야? 아까 계단을 내려오면서 잠깐 들어 보니까 뭔가 마음에 들지 않은 부탁을 받은 것 같던데."

"아니에요."

담호가 웃으며 말했다.

그때, 노인들이 갑자기 "험험." 하며 입맛을 다시더니 하나둘씩 자리에서 일어났다.

이미 꿩국은 식었고 술은 마실 수 없게 되었으니 굳이 유랑객잔에 머물 이유가 없었으리라. 또한 자신들이 어린 담호에게 그런 부탁을 한 걸 강만리가 알게 된다면, 그것도 낯부끄러운 상황이 될 것 같다는 생각이 들었기 때문이리라.

"그럼 나중에 보세."

"잘 있게나, 어린 친구."

노인들은 강만리에게는 가벼운 눈인사로 끝내고 담호에게는 한없이 친절하고 부드러운 표정을 지으며 그렇게 인사를 건넸다.

또 담호는 그런 노인들을 향해 일일이 별호와 성을 부르며 공손하게 인사했다.

"들어가세요, 단봉거사 할아버지."

"나중에 뵈요, 공 할아버지."

이윽고 노인들이 모두 객잔을 빠져나가자 강만리는 눈을 휘둥그레 뜨며 담호에게 말했다.

"알고 보니 네가 사람 사귀는 달인(達人)이구나. 반나절도 안 되어 이곳 마을 노인네들과 모두 친구가 되었으니 말이다."

"친구는요."

담호는 가볍게 한숨을 쉬며 말했다.

"얼마나 난처했는지 모르는데요."

"응? 난처했다니? 그건 또 무슨 소리지?"

강만리의 물음에 담호는 조금 전 있었던 일에 대해서 간략하게 설명했다. 강만리는 눈을 휘둥그레 뜬 채 삼매탕으로 시작되어 결국 금주령으로 마무리된 이야기를 가만히 듣고 있다가 껄껄 웃기 시작했다.

"그러니까 네가 저 노인네들에게 부탁을 하려면 그에 맞는 대가부터 내놔라, 이랬단 말이지? 이야! 정말 많이 컸구나, 담호."

강만리는 애정 깊은 눈길로 담호를 바라보며 말했다.

"그래, 잘했다. 사실 네가 너무 착하고 순진해서 사람들에게 이용만 당하면 어쩌나 하는 걱정이 많았단다. 그런데 정론(正論)을 이야기하는 것처럼 아주 교묘하게 말을 돌려서 노인네들의 부탁 아닌 협박을 거절하다니. 하하, 언제 그렇게 말재간이 는 게냐?"

담호는 쑥스러운 듯 고개를 숙였다. 별다른 설명도 하지 않았음에도 불구하고 강만리는 담호가 어떤 생각을 했는지, 어떤 의도로 그런 이야기를 했는지 정확하게 파악하고 있었다.

"사실 힘이 없거나 돈이 없거나 그런 불쌍한 노인들이

라면 저도 부탁을 들어 드리려 했거든요."

담호는 나지막한 목소리로 말했다.

"하지만 저 노인들은 다들 자신의 무공을 숨기고 있는 은둔 고수들이시니까요. 괜히 그분들의 장난에 휘말려서 고생할 필요가 없다고 생각했어요."

"호오."

강만리는 엉덩이를 긁적이며 물었다.

"그럼 너는 저 노인네들이 정체를 숨긴 은거기인들임을 알아차린 게냐?"

"네. 아! 그럼 강 숙부께서도 이미 알고 계셨네요?"

"음. 어제 어른들끼리 대화를 나누다가 잠깐 저 노인네들에 관한 이야기가 나왔거든. 그때 하나같이 저 노인네들의 무위가 심상치 않아 보인다고들 말했지."

강만리의 말에 담호는 살짝 풀이 죽은 얼굴이 되었다. 자신이 유명촌 노인들의 정체를 제일 먼저 눈치챈 줄 알았는데 역시 그게 아니었다. 어른들의 눈썰미를 따라가기에는 아직 많이 부족했다.

그런 담호의 속내를 눈치챈 걸까.

"기특하구나."

강만리는 탁자 너머로 손을 뻗어 담호의 어깨를 두드리며 말했다.

"얼마 되지 않는 정보와 단서들을 이리저리 맞추고 조

합해서 스스로 대책을 강구하고, 그 가운데에서 최고의 선택을 한다는 건 어지간한 어른들도 할 수 없는 일이란다. 특히 이번처럼 상대방이 무례하다고 느끼지 않고, 또 얼굴 붉히지 않게끔 부탁을 거절하는 건 나조차도 제대로 하지 못하는 일이지. 정말 언제 이렇게 컸는지 모르겠다. 우리 아정도 널 닮았으면 좋겠구나."

강만리는 애정이 뚝뚝 떨어지는 눈길로 담호를 바라보며 말을 이었다.

"그나저나 누가 될지는 모르겠지만 널 제자로 삼는 자는 천하제일의 행운아(幸運兒)일 거다. 한 번쯤 꼭 보고 싶구나, 그 얼굴을 말이지."

그때였다.

"허험."

계산대에 홀로 앉은 채 계속 딴청을 부리고 있던 저귀가 갑자기 헛기침을 했다.

강만리가 뒤를 돌아보자 저귀는 머쓱한 표정을 지은 채 자리에서 천천히 일어났다. 그러고는 성큼성큼 대청을 가로질러 강만리와 담호가 마주 앉은 탁자로 다가오더니, 강만리를 향해 고개를 쑥 들이댔다.

강만리가 움찔 놀라며 몸을 뒤로 젖혔다. 그리고 살짝 눈을 가늘게 뜨며 투덜거리듯 말했다.

"갑자기 무슨 짓이오? 깜짝 놀라지 않았소?"

저귀가 흠흠 헛기침을 하더니 말했다.

"아니, 보고 싶다고 해서."

"뭘요?"

"방금 전 자네가 천하제일의 행운아 얼굴을 보고 싶다고 했잖은가?"

"그건 담호의 사부…… 이런!"

강만리가 깜짝 놀라 소리쳤다.

그러고는 도저히 믿을 수 없다는 듯 저귀와 담호의 얼굴을 번갈아 바라보았다. 저귀는 쑥스러운 가운데 뿌듯한 미소를 머금고 있었고, 담호는 부끄러워 어쩔 줄 모르는 얼굴로 고개를 숙였다.

"진짜냐?"

강만리는 담호를 향해 빠르게 물었다.

"이 누룩 곰탱이 같은 자를 사부로 모신 게야? 언제? 어떻게? 네 아버지께는 말씀드린 게냐? 설마 나만 모르고 있는 일이더냐?"

강만리의 빠르고 쉴 새 없는 질문에 담호는 당황한 표정을 지었지만 되도록 차분한 어조로 일일이 대답했다.

"사부로 모신 건 조금 전, 유명촌 노인분들이 이곳에 오기 전의 일이에요. 막 예를 갖춰 절을 하려고 했는데…… 할아버지 할머니들 때문에 아직 사부지례(師父之禮)를 하지 못했어요. 아직 아버지께는 말씀드리지 못했어요. 강 숙부께서 제일 먼저 아시게 된 일이고요."

"오호."

강만리는 자신이 제일 먼저 이 기막히고 대단한 사건을 알게 되었다는 사실에 만족하다는 표정을 지었다. 하지만 곧 눈을 부릅뜨면서 저귀를 노려보았다.

"아직 세상 물정 모르는 아이를 꾀어서 제자로 삼으려고 하다니, 그러고도 제대로 된 어른이라 할 수 있겠소?"

"아니, 그게 아니라……."

"만약 이 아이의 자질이 탐나서 진심으로 제자를 삼으려 한다면 먼저 이 아이의 부친과 숙부들에게 허락을 받는 게 제대로 된 순서이고 또 예의가 아니겠소?"

강만리의 날이 선 질문에 저귀는 당황해하다가 크게 한숨을 쉬며 입을 열었다.

"하나씩 이야기해 보세. 우선 아직 세상 물정 모르는 아이라니, 그건 누구를 두고 하는 말인가?"

"그야……."

당연히 담호라고 대답하려던 강만리는 저도 모르게 입을 다물고 말았다. 조금 전까지 그토록 담호를 칭찬하며 어지간한 어른보다 낫다고 했던 자신의 말이 떠올랐던 까닭이었다.

저귀가 다시 말했다.

"사제(師弟), 그러니까 사부(師父)와 제자(弟子)라는 건

타인의 허락이나 요구로 인해 맺어지는 게 아니지. 이 사람에게 배우고 싶다는 제자의 의지와 이 아이에게 가르쳐 주고 싶다는 사부의 뜻이 하나로 일치되어야만 비로소 사부와 제자라는 관계가 성립되는 게야."

강만리는 입을 삐죽였지만 잠자코 저귀의 계속 이어지는 이야기를 들었다.

"물론 자네나 이 아이의 부친에게 사정을 설명하고 우리가 사제의 연(緣)을 맺었음을 이야기하려 했네. 그건 너무나도 당연한 일이니까. 하지만 조금 전 이 아이에게 들었다시피, 아직 사제의 연을 제대로 맺지도 못했네. 그리고 그때까지 자네들도 일어나지 않았고."

강만리는 저도 모르게 엉덩이를 긁적였다. 저귀의 말은 논리적이고 타당해서 따로 딴죽을 걸 부분이 없었다.

"뭐, 그건 담 형님과 이야기하시고."

강만리는 눈을 부라리며 말했다.

"그 산매탕인가 뭔가를 가져와 주시오. 그걸 내주지 않는다면 이 사제(師弟)의 건(件)은 끝까지 반대할 테니까!"

(무림오적 46권에서 계속)